Ahora que ya lo sabes

ORIOL PAMIES

Ahora que ya lo sabes

TODO LO QUE ME HUBIERA

GUSTADO SABER ANTES

DE SALIR DEL ARMARIO

LIBROS **CÚPULA**

© del texto: Oriol Pamies, 2019

Edición y corrección: Sara Díaz Mata, 2019

Dirección de arte: Planeta Arte & Diseño
Diseño de cubierta: Kevin Pery

Primera edición: junio de 2019

© Editorial Planeta, S. A., 2019
Av. Diagonal, 662-664, 08034 Barcelona (España)
Libros Cúpula es marca registrada por Editorial Planeta, S. A.
www.planetadelibros.com

ISBN: 978-84-480-2587-8
D.L: B.8.772-2019

Impresión: Liberdúplex
Impreso en España – *Printed in Spain*

El papel utilizado para la impresión de este libro está calificado como **papel ecológico** y procede de bosques gestionados de manera **sostenible**.

ÍNDICE

A todas las personas de la comunidad LGBTQ+
que viven a diario rodeadas de miedo,
discriminación y sin poder alzar la voz.

Prólogo

Conocí a Oriol en Colombia mientras trabajaba en varios proyectos para la comunidad LGBTQ+. En esos momentos el país se vio envuelto en una crisis importante. Miles de colombianos católicos y ultraconservadores, salieron a la calle a protestar en ciudades y pueblos de todo el país para «proteger» a la familia tradicional de los «ataques» de aquellos que, simplemente, defendían una educación sexual y de género que incluyera a las personas LGBTQ+.

Nunca antes habíamos sido testigos de tal demostración de odio, discriminación e intolerancia, me dolía mi país y teníamos que hacer algo.

Nos decidimos a pasar a la acción y creamos una campaña para explicar lo que estaba pasando más allá de las fronteras de nuestro país. El video de la campaña llegó hasta al Congreso donde fue debatido y más de 15.000 personas de todo el mundo subieron fotos en las redes sociales con el #EDUCATETOLOVE para visibilizar el conflicto.

Ese día me reafirmé en que nuestras historias pueden tener un impacto directo en la vida de los demás. Dos años después, y con el apoyo de mis seguidores, conseguimos un decreto para garantizar los derechos de la comunidad LGBTQ+: acabar con las barreras de ingreso y permanencia en lugares abiertos al público en Colombia llamado: «Aquí Entran Todos». Quedan muchas batallas por luchar, en mi país y en el mundo, pero estoy feliz de ver que el apoyo hacia la comunidad crece día tras día, por lo que estoy muy contento de escribir el prólogo de este libro.

Desde que me contó su idea, animé a Oriol a seguir adelante porque estoy convencido de que, de la mano de todos y a través de proyectos como este, podemos conseguir cambiar mentalidades.

Escribo estas líneas justo tras terminar de leerlo. Capítulo a capítulo me ha llevado a revivir épocas de mi vida que recuerdo con cariño y otras más duras que me han inspirado a ser la persona que soy ahora.

El proceso ha sido largo y confuso. En mi adolescencia, tardé en encontrarme a mí mismo, pero cuando lo hice, lo tuve claro. Empecé contándoselo a algunos amigos y tenía por seguro que debía compartirlo con mi familia también. Procrastiné ese momento a la espera de sentirme suficientemente encaminado en la vida para evitar que se preocuparan.

No quería que pensaran que mi orientación sexual iba a frustrar nada ni supondría una piedra en el camino para alcanzar mis sueños.

A los veintiún años, después de muchas dudas, decidí salir del armario ante mi mamá y mi abuela. Fue definitivamente el mejor día de mi vida. Me dijeron que no importaba a quién quisiera con tal de que fuera feliz.

No tuve la suerte de poder compartirlo con mi papá, pero mi hermana, que es también de la comunidad, sí recibió un consejo suyo que nunca olvidaré: «No me importa si te gustan los hombres o las mujeres, simplemente nunca dependas de nadie». Estoy convencido de que también me hubiera dicho lo mismo y me siento afortunado de tener una familia que me apoya incondicionalmente.

Después de contárselo a mi familia, que son las personas más importantes para mí, decidí contárselo a mi audiencia, porque también son un pilar muy importante en mi vida. Estaba aterrorizado. Video tras video sentía que no podía ser yo mismo si no me mostraba completamente abierto y transparente con las personas que me importan.

Mostrarme ante todos tal y como soy significaba un salto al vacío. Viviendo en un mundo donde la discriminación aún está presente, tenía miedo de la reacción de mis seguidores, de ataques de personas intolerantes en la calle, de perder el apoyo de las marcas y, en definitiva, de destrozar todo por lo que había trabajado tantos años.

Nada más lejos de lo que ocurrió. El día después de salir del clóset fue un momento que nunca olvidaré. El apoyo fue abrumador. Muchas personas se sintieron inspiradas por lo que hice y dije. En ese momento me di cuenta de la fuerza que tienen nuestras acciones. Fui consciente del poder de ser uno mismo. De vivir en libertad y en paz con lo que realmente eres.

A pesar de estar completamente fuera del armario desde hace años, cada uno de los capítulos ha despertado muchas cosas en mí que no sabía, que no recordaba o que a veces deberíamos tener más presentes.

Si estás leyendo esto, te voy a repetir unas palabras que en su día me sirvieron: «Debes sentirte orgulloso de lo que eres, mantener tu cabeza en alto y no dejar que nadie te haga sentir avergonzado, porque esto no es algo que debas esconder».

Este es el libro que también a mí me hubiera gustado leer antes de salir del armario.

Estoy feliz de que lo tengas en las manos y espero que pronto puedes sumar tu historia para inspirar también a los demás.

Juan Pablo Jaramillo
Youtuber colombiano con millones de seguidores, y reconocido activista de la comunidad LGTBQ+; es autor del libro La edad de la verdad. *Entre sus logros está el haber liderado una campaña que consiguió la aprobación de un decreto por parte del gobierno de su país para luchar contra la discriminación.*

Introducción

Recuerdo perfectamente cómo me sentía cuando aún no lo sabía. Estaba totalmente perdido, confuso y sin saber muy bien qué hacer con mi vida. Tantas preguntas en mi cabeza y ninguna respuesta a mano. No entendía qué me estaba pasando, estaba muerto de miedo y no sabía ni por dónde empezar. Con el tiempo me di cuenta de que la solución siempre pasa por el mismo punto. Mantener la calma y hacer lo más importante: dar el primer paso. Todo empieza con una decisión. La de parar, ser honesto con uno mismo y hacer un esfuerzo para intentar comprenderte. Mirar en tu interior y escuchar cómo te sientes realmente. Y entre tanto ruido descubrí algo importante: entendí que era diferente.

Ser diferente no es algo malo, pero me llevó bastante tiempo asimilarlo. Al principio me sentí mal, muy solo y sin nadie con quien compartir mis preocupaciones. Pero acabé por entender que no todos estamos hechos para recorrer el mismo camino. Hay personas que, sin saberlo, están destinadas a seguir una ruta distinta. Ni mejor ni peor. Diferente. Y a mí me tocó. Tal vez a ti también. Seguramente, sea más larga que la de los demás. Durante el trayecto, la verdad es que muchas veces no tenía ni la más remota idea de hacia dónde estaba yendo. Todo mejoró cuando, a medida que iba avanzando, empecé a ser consciente de que no había absolutamente nada de malo en ello. Que cada camino es único y que vivirlo a nuestra manera es lo que nos llevará a vivir historias increíbles.

Entendí que cada uno debe trazar su propio itinerario, y desde luego, me hubieran venido bien algunas indicaciones de alguien que ya lo hubiera transitado. A veces la vida nos va llevando por sitios que no teníamos pensados y eso puede asustar. Entender qué pasa por nuestras cabezas es difícil, pero cuando por fin descubres que formas parte de algo mucho más grande, todo cobra sentido. Cada uno debe emprender su propio viaje y tuve claro que si mi historia podía hacer más fácil el camino de alguien, tenía la obligación de compartirla.

Por eso me decidí a escribir este libro. En estas páginas encontrarás aquello que he aprendido sobre la comunidad LGBTQ+[1]. Podrás ver aquello que he descubierto de mí mismo durante mi camino. Con sus altos, sus bajos y algunas curvas peligrosas. Dudas, negación, aceptación. Nos atreveremos a clasificar etiquetas. A discutir el papel de la religión. A prepararnos para salir del armario y, sobre todo, a hacerlo sin miedo. A combatir la homofobia. Y lo más importante: a ser libres.

---

1. En España, se usan las siglas LGTBI. En México LGBTTTI. He optado por la versión LGBTQ+ que uso regularmente porque siento que representa de manera más ámplia al colectivo.

Escribir estas líneas ha supuesto para mí un interesante proceso de autoconocimiento. He abierto heridas que creía cerradas y he descubierto recuerdos que ahora revivo con una sonrisa. Me he adentrado en temas que me han despertado una gran curiosidad y de los que, además, tengo mucho por aprender. Lejos de ser una guía o un manual, este libro representa únicamente mis experiencias y mi realidad.

Está narrado en primera persona y tomé la decisión de escribir en género neutro, esto es, usando la tan controvertida x. No ha sido fácil, pero creo que es muy importante respetar el tratamiento de género; si bien, para evitar reiteraciones en ocasiones aparece el masculino para englobar ambos géneros. Toda esta parte más técnica, en cuanto al uso del lenguaje, ha sido mucho más compleja de lo que pensaba (en las redes, por ejemplo, es más sencillo, todo fluye de manera más natural). Y, justamente, gracias a esto he sido capaz de valorar, aún más, la importancia que tiene el hacer un esfuerzo para incluir a todas las personas de la comunidad. También, en parte, es una forma de aprovechar y hacer un llamamiento al debate sobre el vocabulario y la cultura. Las generaciones avanzan, la sociedad evoluciona y por tanto nuestra lengua y cultura deberían hacerlo a su vez.

Hoy me siento increíblemente orgulloso de saber que pertenezco a una comunidad con identidad y cultura propias. Sin embargo, durante muchos años creí que estaba solo. Por eso, me gustaría que este libro sirviera para que nunca más te sientas (o te llegues a sentir) así. No soy psicólogo, ni gurú del tema LGBTQ+ pero escribí estas páginas con la intención de intentar acercarte, a través de mi experiencia personal, a información que tal vez pueda servirte para tomar tus propias decisiones y darte cuenta de que eres perfectx tal y como eres.

Me encantaría que hiciéramos un esfuerzo para entender los mitos, estereotipos y prejuicios sobre la comunidad LGBTQ+ y que trabajásemos unidos para desmontarlos. Cada miembro de la comunidad LGBTQ+ pasa por una experiencia vital distinta. Debemos celebrar las diferencias y entender que las historias tienen el poder de inspirar y dar esperanza a los demás.

Espero que la mía sirva para romper el hielo y que pronto tú también te atrevas a compartir la tuya.

Cuando
no lo sal

aún

es

Cuando aún no lo sabes

Bien. Si estás leyendo esto, es porque seguramente te sientes diferente. Probablemente, te
asalten en la cabeza un millón de dudas. ¿Por
qué yo? ¿Está mal que sienta esto? ¿Se me pasará?

Antes que nada, déjame decirte tres cosas: no es
el fin del mundo, no estás solo y puedo entender por
lo que estás pasando. Y lo digo con esa contundencia
porque no solo lo he vivido en primera persona, sino
también lo he «vivido» a través de otras muchas. De
hecho, esta etapa fue, de lejos, la más confusa de mi
vida. Lo cierto es que no encontré respuesta a algunas
de esas preguntas hasta varios años más tarde. Así que
intenta tomártelo con calma y vamos a investigar un
poco. La información es poder y cuanto más sepamos,
mejor. Para empezar a entender a qué nos enfrentamos
hay que tener en cuenta varias premisas.

En primer lugar, nacemos en una sociedad que nos
impone etiquetas tan pronto como llegamos a este mundo. En ese momento, y sin poder opinar, se nos asigna un

género, un nombre y hasta se decide el color de nuestro cuarto o si debemos llevar pendientes o no. Qué injusto, ¿verdad? Menos mal que luego crecemos y tendremos la posibilidad de que el mundo se entere de lo que realmente somos y queremos.

Nací en Reus, una ciudad de unos 100.000 habitantes a una hora de Barcelona, en la que prácticamente todo el mundo conoce. Tuve la suerte de nacer en un entorno donde la homofobia explícita no estaba a la orden del día. Pero los rumores sí. Recuerdo que la presión social que sentía por ser diferente era insoportable. Crecer en un entorno donde los modelos LGBTQ+ brillaban por su ausencia hizo mucho más difícil que pudiera ni siquiera imaginar que ser abiertamente gay fuera una opción. Tenía claro lo que se esperaba de mí y ese, definitivamente, no era el camino.

Puede que en tu caso no solo no tengas modelos LGBTQ+ cerca, sino que, además, te haya tocado vivir en un entorno homofóbico. Quiero que sepas que no estás solx. Aunque puedas sentirte aisladx, ser parte de la comunidad LGBTQ+ significa pertenecer a una gran familia, con una historia colectiva o identidad propias, que ha pasado por lo mismo que tú y que estará lista para apoyarte siempre que lo necesites.

Es importante que tengas clara, y tal vez hasta conviertas en tu mantra, esta frase que me gusta tanto. Todo Mejora.

A pesar de lo difícil que pueda parecerte cualquier situación que estés viviendo, debes recordar que es temporal y que mejorará.

Durante años, me ha servido para sobrellevar épocas complicadas y, por eso, ahora te la recomiendo a ti. De hecho, It Gets Better es el nombre de una de mis organizaciones favoritas que se encarga precisamente de esto. De transmitir un mensaje positivo a través del poder de las historias, compartiendo testimonios de personas LGBTQ+ de todo el mundo que pasaron por una etapa complicada y que han conseguido superarla con éxito.

Todas las semanas me contactan personas pidiendo ayuda, consejo o simplemente compartiendo sus historias conmigo. Es increíblemente importante entender que, aunque no te lo parezca, tus historias tienen muchísima fuerza, por lo que compartirlas puede ser una muy buena forma de ayudar a los demás (y a ti mismo).

Crecemos educados en un sistema que espera que sigamos las reglas. LA NORMA. Unas normas que nos empujan a tener una vida perfecta. Un mundo donde ser diferente no siempre es visto con buenos ojos.

A menudo, la educación que recibimos nos puede llegar a enturbiar la mente, hasta el punto de hacernos sentir que ser diferentes nos convierte en personas débiles, inferiores o culpables de algo. Nada más lejos de la realidad. Tal vez, al no ser el recorrido que sigue la mayoría pueda parecer más complicado, pero no hay nada más emocionante que ser capaz de escribir tu propia historia.

Desde pequeñxs estamos programadxs para pensar que somos heterosexuales y condicionadxs a vivir en una sociedad binaria que solo reconoce dos géneros,

A pesar de lo difícil que pueda parecerte cualquier situación que estés viviendo, debes recordar que es temporal y que mejorará.

el hombre y la mujer. Sin embargo, es posible que a medida que vayamos creciendo nuestros sentimientos tengan otros planes. Tal es nuestro convencimiento de que somos heterosexuales que muchas veces no somos capaces de interpretar los sentimientos que nos insinúan que quizás estemos interesados en tomar otra dirección. Para eso hace falta pasar por un complicado proceso. Nos toca desaprender. Entender que ser diferente está bien. Puede asustar al principio, pero, créeme, el resultado es increíble.

Déjame que te cuente una historia de cuando yo aún no lo sabía. Tenía catorce años y pasó durante una tarde de domingo en familia. Decidimos ir al cine y era a mi hermana, que por aquel entonces tenía cinco años, a quien ese día le «tocaba» decidir la película. Eligió la versión de *Peter Pan* de P. J. Hogan. Como buen adolescente, inmediatamente me molesté. «Vaya tostón de película», pensé. Pero el enfado duró poco; exactamente hasta que apareció Peter Pan en pantalla. Sí, desde ese momento recuerdo ver la película sin pestañear. Sentí inmediatamente una sensación muy extraña, algo que no podía describir. Lo que sí tenía claro era que nunca antes había sentido nada igual.

Y no terminó con la película. Más bien al contrario. Al llegar a casa, me decidí a buscar información sobre el actor. Sentía que quería saber de él y que me encantaría ser su amigo. Incluso pensé en contactarle, aunque por suerte eso solo quedó en una idea.

Lo que sí hice fue regalarle la película a mi hermana tan pronto salió a la venta para que pudiera verla en casa cientos y cientos de veces. Qué buen hermano, ¿verdad? Esta es la historia de la primera vez en la que me sentí atraído por una persona de mi mismo sexo.

Echando la vista atrás, me río y pienso que lo que pasó, en realidad, es que fue mi primer *crush*. Aunque por aquel entonces no lo entendí así. Creía que lo que sentía era admiración o «muchas ganas de conocerle más». Mi cabeza no concebía que los chicos tuvieran sentimientos por otros chicos. Esa no era la norma que había aprendido.

Así que tuve que desaprender y diferenciar la admiración del deseo; eso sí, esto no pasaría hasta bastante más adelante. Lo realmente importante es que ese día nació algo, aunque fuera muy muy en el fondo de mi conciencia: la duda. Todo empieza con la duda. Porque si bien rápidamente relacioné esa atracción con algo a lo que estaba acostumbrado, como la admiración o la amistad, algo dentro de mí intuía que había algo más. Y empezaba a estar muerto de miedo de ni siquiera pararme a pensarlo. Pero había empezado. Y, créeme, no había marcha atrás.

Por otro lado, vivimos rodeados de expectativas. Expectativas de nuestros padres, de nuestros abuelos, de nuestros profesores, amigos… la lista es infinita.

Que saquemos buenas notas, que lleguemos a la universidad, tal vez un máster, un piso y, por supuesto, pareja, hijos. ¡Cuánto trabajo! El miedo juega un papel muy importante en este proceso. Miedo a decepcionar a nuestra familia, miedo al rechazo de nuestros amigos, miedo a la soledad… En definitiva, miedo a lo desconocido.

Cuando preguntas a alguien que está en la universidad que por qué está estudiando la carrera que estudia, demasiadas veces escucharás: «Es lo que mis padres querían». A menudo las expectativas de los demás pasan por encima de las nuestras. Tal vez te puedas sentir obligadx a seguir el negocio familiar o te animan a cumplir aquellos sueños que ellos no han conseguido.

Pero ¿qué tal si te digo que no tiene por qué ser así? Al menos, no si tú no quieres. Es cierto que la norma funciona para la mayoría de las personas, pero no para todas. Y es que creo que una de las cosas más importantes que aprendí es que las expectativas que debes cumplir son las tuyas. Que a quien tienes que hacer feliz es a ti mismx. Que los sueños que de verdad importa perseguir son los tuyos.

Así que, decidas lo que decidas, es importante aprender que tu vida es tuya y de nadie más.

No olvides que lo que funciona para ti puede que no funcione para otrx, y que lo que yo he vivido de una forma puede que tú lo vivas de otra. Tengo amigxs que recuerdan sentirse atraídxs por personas de su mismo sexo desde muy pequeñxs. Otrxs, a lxs que se les despertó el interés junto a las hormonas en la adolescencia. Y algunxs que no se dieron cuenta hasta muchísimo más tarde. Sea como sea, todos los procesos son igual de válidos. No existe un manual de instrucciones universal, por lo que cada caso es distinto y puedes tomarte todo el tiempo que necesites para entenderte. Lo que sí es cierto es que, cuando el camino a recorrer es difícil, poder hablar con alguien que ya lo ha pasado ayuda y mucho.

Cuando aún no lo sabemos, desarrollamos una habilidad increíble para autoengañarnos y enmascarar los

Así que, decidas lo que decidas, es importante aprender que tu vida es tuya y de nadie más.

sentimientos. Recuerdo que tan pronto me daba cuenta de que por mi cabeza rondaba algún pensamiento «fuera de lo común» intentaba con todas mis fuerzas dejar la mente en blanco hasta hacerlo desaparecer. Esa táctica me funcionó durante un tiempo, hasta que esos deseos empezaron a visitarme mientras dormía. En mis sueños ya no tenía el control y el intentar dejar la mente en blanco dejó de funcionar. Me despertaba con un sentimiento de culpa enorme, pero también con muchas ganas de volver a dormirme para intentar repescar aquel sueño. Como ya os he dicho, una de las épocas más confusas de mi vida. Lo más parecido a una montaña rusa de sentimientos, estados de ánimo y pensamientos contradictorios.

Con tantas dudas alrededor del tema, ¿cómo vamos a saber si somos parte de algo que aún no entendemos? Para empezar, lo que sí te puedo asegurar es que no hay nada malo en ti y que, desde luego, no estás enfermx. De hecho, la OMS (Organización Mundial de la Salud) dejó de considerar la homosexualidad como una enfermedad el 17 de mayo de 1990. Fue, sin duda, un gran paso para la comunidad LGBTQ+ y por ello en esa fecha celebramos el Día Internacional Contra la Homofobia, Transfobia y Bifobia (IDAHOTB).

Durante décadas, muchas persona tuvieron que vivir creyendo que lo que, en realidad, tenían era una enfermedad.

¿Te imaginas qué horrible convertir algo tan simple como querer a otra persona en un trastorno? Tristemente, en muchos países es aún una realidad. Los centros de conversión son liderados por pseudocientíficos que aseguran poder «curar» la homosexualidad. Utilizan terapias de *electroshock*, castraciones quí-

Durante décadas, muchas personas tuvieron que vivir creyendo que lo que en realidad tenían era una enfermedad.

micas o incluso lobotomías para intentar cambiar la orientación sexual, la identidad o la expresión de género de sus pacientes. Y digo intentar porque en ningún caso se ha conseguido modificar la conducta de lxs pacientes a largo plazo. A corto plazo sí, pero solo fruto del terror vivido durante este horrible proceso. Aberraciones llevadas a cabo en nombre de la religión, la ignorancia y el odio; y, lo que es peor, con total complicidad de los padres. Ellos son los que de manera voluntaria internan a sus hijxs en esos centros, donde las terapias son tan brutales que desencadenan en sus pacientes profundas depresiones y tendencias suicidas.

Según un estudio de la UCLA (Universidad de California, Los Ángeles)[2] alrededor de 700.000 estadounidenses de entre dieciocho y cincuenta y nueve años han recibido terapias de conversión en el pasado, otros 20.000 de edades comprendidas entre los trece y los diecisiete años las recibirán y 20.000 están actualmente internados contra su voluntad en centros alrededor de los más de 41 estados donde aún es legal. Pone los pelos de punta pensar que, mientras estás leyendo esto, hay niñxs encerrados en centros donde día tras día se les tortura intentando hacerles creer que hay algo mal en ellxs y que deben curarse a toda costa.

Obviamente, y dado que la homosexualidad no es un enfermedad, no es algo de lo que te puedas curar. Tampoco un estilo de vida, algo que elijamos o una moda pasajera. ¿Quién, con dos dedos de frente, escogería un estilo de vida que le hace vulnerable a la discriminación?

---

2. Mallory C., N. T. Brown, T. and Conron, K. J. (enero de 2018). Conversion therapy and LGBT Youth.

Pero las dudas se siguen acumulando. ¿He hecho algo para volverme así? ¿Será que puedo cambiar? Intentamos buscar mil y una explicaciones para entender qué nos está pasando. Nos asusta no entender por qué nos sentimos así. Nos preguntamos: ¿qué pasaría si alguien lo descubre? ¿Podré formar una familia? ¿Seré el/la únicx que siente esto? Por suerte, algunas de estas preguntas tienen respuesta y las descubriremos juntos a medida que vayas avanzando en los capítulos. Espero que, aunque aún no lo sepas, puedas tener toda la información necesaria para sentirte mejor y que si quieres, y a tu debido tiempo, puedas tomar la decisión correcta para ti.

Todxs, de una forma u otra, hemos pasado por este proceso. Cada historia es distinta, pero el objetivo siempre es el mismo: ser feliz. Aceptarte tal y como eres es la puerta a un sentimiento de libertad tan fuerte que hace que todo este proceso valga la pena.

«Somos m
de los que

uchos más
creemos.»

¿Se nace o se hace

CAPÍTULO 2

¿Se nace o se hace?

Existen muchísimos estudios alrededor de la diversidad sexual. Algunos apuntan que viene definido por nuestra herencia genética, incluso antes de nuestra concepción. Otros indican que viene influenciado por factores biológicos, durante el desarrollo del feto. Hay quien sugiere que viene dado a partir de la educación que recibimos y las experiencias que vivimos.

Antes que nada, me gustaría aclarar algo. Está bien que cuestionemos el porqué de las cosas; y sí, la verdad puede resultar muy interesante. Pero, al fin y al cabo, tampoco debes darle demasiada importancia. Del mismo modo que no elegimos ser altos o bajos ni el color de nuestros ojos nos hace mejores o peores, nuestra orientación no nos define como personas. Esto es importante, porque darle demasiadas vueltas al tema puede llevarte a pensar que eres menos que los demás por el simple hecho de ser distinto. A mí me ocurrió y me gustaría que no tuvieras que pasar por lo mismo. Sea cual sea la combinación de factores que te ha convertido en quién eres hoy, eres perfectx tal y como eres.

Dicho esto, ¿qué hace que nos sintamos atraídos hacia un sexo u otro? La gran mayoría de las personas que conozco cuentan que saben que son LGBTQ+ desde que tienen uso de razón. Es una conversación que me encanta tener, cuando ya hay cierto grado de confianza con alguien. Para que quede claro, hablamos de tener el primer recuerdo consciente de sentirse atraídx por alguien de tu mismo sexo. Posiblemente, esa vez que recordemos no fuera en realidad la primera, simplemente es aquella en la que nuestro cerebro consiguió interpretar correctamente las señales.

¿Recuerdas mi anécdota de Peter Pan? Ese fue el momento en el que empecé a ser consciente de que podía sentirme atraído por un chico, pero estoy convencido de que no fue la primera vez que me pasaba. Fue la primera vez que mi cerebro, a pesar de no estar programado para entenderlo, se dio cuenta de que ahí había algo más.

Fruto de la educación que recibimos, crecemos con el convencimiento de que todos, por defecto, somos heterosexuales. Es por eso que cuando las dudas empiezan a llamar a tu puerta, nuestra primera reacción suele ser intentar enterrarlas bajo la alfombra y mirar hacia otro lado.

Para entender mejor qué es lo que te está pasando debes mirar hacia adentro, no hacia fuera.

Intentar concentrarte y ser sincerx contigo mismx. A veces, lo que encontramos asusta. Pero a pesar de encontrarnos navegando entre un mar de dudas, te animo a intentar realizar tu propia investigación.

¿Fue algo que elegiste? Desde luego, no. Entiendo que nadie elegiría por gusto sentirse mal, vivir con miedo a decepcionar a su familia o a ser víctima de discriminación. Cuando por mi ciudad empezaron a circular rumores sobre mí, vivía con una tensión constante. Me convertí en un experto en coartadas, apariencias y doble vida... Y si me permites sincerarme, en alguien tremendamente infeliz. Entre muchas perlas, hablaban sobre mi «decisión» de llevar este «estilo de vida». Como si de forma egoísta, sin pensar en mi familia y a pesar de tener la opción de compartir mi vida con una chica, hubiera decidido cambiar de acera. Si para mí fue difícil, imagínate para alguien que vive en un entorno fuertemente homofóbico o directamente en un país donde ser LGBTQ+ es un crimen. En definitiva, no es algo que elijamos porque nadie escogería tomar un camino más complicado.

Lo que aquí tiene que quedarte claro es que tus decisiones, elecciones y sentimientos son igual de válidos que los de cualquier otra persona.

No olvides que vivir fuera de la heteronormatividad está bien, y que el hecho de que seas diferente y no sigas las normas impuestas te hace únicx y especial.

Tú también debes ser celebradx como el resto, y tienes todo el derecho a vivir tu vida acorde con tus sentimientos, tal cual los percibes. Probablemente, la sociedad heteronormativa en la que vivimos va a cuestionarlo. No hagas caso. Las normas han sido creadas por ellos para validar y aplaudir únicamente a las personas con inclinación heterosexual.

¿Puedo parar de sentir estos deseos? Definitivamente, no. Y eso te lo puedo asegurar, porque madre mía si lo intenté. Lo deseaba con todas mis fuerzas, todas las noches antes de acostarme. Y aquí estamos.

Para entender mejor qué es lo que te está pasando debes mirar hacia adentro, no hacia fuera.

Sin ánimos de liar más el tema, quiero puntualizar algo. Tener deseos hacia una persona de tu mismo sexo no significa necesariamente que seas LGBTQ+. Nuestra sexualidad es compleja y las opciones no son las que nos han hecho creer. De hecho, hay una increíble gama de grises, que puede ir variando con el tiempo. El biólogo Alfred Kinsey creó una escala que, personalmente, me encanta porque consigue reflejar los distintos grados en los que las personas pueden encontrarse en distintas épocas de su vida.

Rango	Descripción	Porcentaje de contactos	
		Homosexual	Heterosexual
0	Exclusivamente heterosexual.	0%	100%
1	Principalemente heterosexual, con contactos homosexuales esporádicos.	1% - 25%	99% - 75%
2	Predominantemente heterosecual, aunque con contactos homosexuales más que esporádicos.	26% - 49%	74% - 51%
3	Bisexual.	50%	50%
4	Predominantemente homosexual, aunque con contactos heterosexuales más que esporádicos.	51% - 74%	49% - 26%
5	Principalmente homosexual, con contactos heterosexuales esporádicos.	75% - 99%	25% - 1%
6	Exclusivamente homosexual.	100%	0%
X	Asexual, el individuo no presenta atracción sexual.	0%	0%

Fuente: <https://www.kinseyinstitute.org/research/publications/kinsey-scale.php>

No olvides que vivir fuera de la heteronormatividad está bien, y que el hecho de que seas diferente y no sigas las normas impuestas te hace únicx y especial.

Haz el experimento. En mi caso, quedaría algo así:

- ☐ 0 a 16 años - Rango 0
- ☐ 16 a 18 años - Rango 0
- ☐ 18 a 19 años - Rango 1
- ☐ 19 a 20 años - Rango 5
- ☐ 20 años en adelante - Rango 6

Tengo amigos que alguna noche de fiesta experimentaron tanto con chicos como con chicas. Tengo amigas que durante una época estuvieron solo con chicas, pero que acabaron casándose con un hombre. Tengo amigos que se autodenominan «Golden Gais» porque nunca han tenido sexo con una mujer. Tengo amigas que estuvieron con chicos hasta llegar a los treinta, cuando un buen día se enamoraron perdidamente de otra chica. En definitiva, que desear, besar o acostarte con alguien de tu mismo sexo no te hace LGBTQ+. Solo si esos sentimientos, lejos de ser esporádicos, van a más y te llevan a enamorarte de alguien de tu mismo sexo podemos empezar a plantearnos que realmente somos LGBTQ+.

¿Fue algo que aprendí? Dado que crecí con prácticamente cero referencias homosexuales, es bastante improbable. La mayoría de mis amigos parece que sabían desde pequeños que les atraían las personas de su mismo sexo. Les encanta contarme miles de historias de cómo, desde muy pequeños, ya tenían un mejor amigo por el que sentían algo más que amistad. No fue mi caso. O eso creía... Es curioso porque, mientras escribo estas líneas, consigo recordar a modo de pequeños *flashes* algunos momentos que ahora pueden parecer relevantes.

Una vez, en el coche con mi madre, volviendo de una clase de tenis, le conté (de manera bastante eufórica) que me había hecho muy amigo de un chico, que me caía muy bien y que quería invitarle a casa. Tendría unos diez años. Empiezo a pensar que tal vez Peter Pan no fue el primero...

Me encanta ver, cada vez más, personas LGBTQ+ presentes en series, películas y televisión. Me encanta porque nos ayudan a hacernos preguntas de una forma completamente normal, sin que tengamos que sentirnos mal por ello.

El mayor problema para mí era que el solo hecho de plantearme la posibilidad de que esos sentimientos fueran ciertos me provocaba pavor y un terrible rechazo hacia mí mismo. Me sentía anormal e indecente. La homofobia internalizada vivió en mí durante mucho tiempo y arraigó muchos conceptos que tardé mucho en poder eliminar de mi cabeza.

Uno de los argumentos favoritos de los homófobos es que la homosexualidad es antinatural.

Yo, durante algún tiempo, también lo creí, pero nada más lejos de la realidad. Es más, la homosexualidad no es algo único del ser humano. Se han documentado conductas homosexuales en más de 450 especies[3] de animales (patos, osos, pingüinos, buitres, leones, jirafas, delfines y primates). Hay historias muy curiosas sobre su comportamiento. Y no estamos hablando de casos aislados ni relaciones sexuales fruto del instinto, sino de cortejo, muestras de cariño y hasta relaciones estables y duraderas que incluyen la formación de familias. ¿Será que tenemos algún error genético? Según la teoría de

---

3. Byne, W. (26 de abril de 2000). *Biological Exuberance: Animal Homosexuality and Natural Diversity*. Jama-journal of The American Medical Association.

la evolución por selección natural de Darwin, los genes que favorecen la supervivencia de la especie se transmiten de generación en generación. De ser así, los animales con tendencias homosexuales deberían tener menos probabilidades de pasar esa característica a la próxima generación y, por ende, la homosexualidad acabaría por desaparecer. Sin embargo, sabemos que no es así.

Tanto en animales como en humanos la homosexualidad ha existido siempre y siempre existirá.

El Museo de Historia Natural de Oslo en Noruega organizó en el 2006 una exposición llamada *«Against Nature?»*, donde exhibía fotografías y ejemplares de especies de animales que practican la homosexualidad. El objetivo era precisamente desmontar el argumento de que la homosexualidad en el ser humano va en contra de la naturaleza.

Una expo a la que me hubiera encantado ir con el cole, pero desde luego no es un tema que se enseñe en las escuelas, ni del que hasta hace poco se hablara abiertamente en la comunidad científica. Es extraño, porque Aristóteles hace más de 2.300 años ya recogía en sus relatos la observación de conductas sexuales entre palomas, codornices, perdices y hienas. Pero no fue hasta el año 1900 que la zoóloga Ferdinand Karsch-Haack hizo la primera mención a la homosexualidad en animales. Así que no ha sido hasta hace relativamente poco que se ha empezado a estudiar este tema de manera exhaustiva, por lo que queda aún mucho por descubrir.

Uno de los los argumentos favoritos de los homófobos es que la homosexualidad es antinatural.

Ahora me pregunto, si la diversidad sexual ha existido siempre y Aristóteles ya la mencionaba, ¿por qué habrá sido tabú durante tantos años? Exacto. La religión, la homofobia y los prejuicios han sido quienes han apartado a la comunidad científica, que, por miedo a ser objeto de burlas o acusaciones de promover la agenda LGBTQ+, han enterrado este tema durante cientos de años.

Pero la realidad es que estamos aquí desde el inicio de los tiempos, presentes en todas las épocas y repartidxs por todos los puntos del planeta. Por lo menos, desde hace 27.000 años, que no es poco.

Las primeras muestras documentadas de homosexualidad se remontan al Paleolítico.

Son varias las pinturas rupestres en las que se pueden observar actos sexuales entre personas del mismo sexo. Esas pinturas representaban escenas de la vida cotidiana de los prehistóricos, así que si lxs artistas decidieron plasmar relaciones homosexuales, entendemos que eran algo habitual y totalmente aceptado en su sociedad, igual que lo era cazar, recolectar frutas o venerar a sus dioses.

En el antiguo Egipto, encontramos por primera vez una representación de una pareja, como tal, formada por dos hombres. Eran Nianjjnum y Jnumhotep, dos funcionarios que sirvieron al faraón de la V dinastía de Egipto. Al descubrir su tumba, se encontraron dos hombres abrazados, con las manos unidas. En las paredes de las distintas cámaras se hallaron pinturas donde se les podía ver siempre juntos, cazando, pescando o rodeados de sus hijos. En la puerta de su tumba había grabado: «Unidos en la vida y en la muerte». Vamos, la pareja ideal de toda la vida.

En la antigua Grecia, el batallón de Tebas era famoso por ser una unidad de élite en la que sus guerreros

Las primeras muestras documentadas de homosexualidad se remontan al Paleolítico.

eran parejas de amantes que se defendían a cualquier precio. ¡Me encanta! Si aún no existe ninguna serie sobre esto, me pondré a escribirla yo mismo.

En sociedad, eran aceptadas las relaciones entre adultos (erastes), que hacían el papel de educadores, y adolescentes (eromenos), que ejercían el de discípulos. Los erastes se encargaban de ofrecer protección, educación y amor; y los eromenos, su juventud, compromiso y belleza. Hoy en día nos parece una aberración considerar que un adolescente pueda tener una relación con un hombre adulto, pero en el contexto de esa época era perfectamente normal.

En el espacio de tiempo que transcurría desde que los eromenos terminaban la escuela a los catorce años hasta los dieciocho - diecinueve que se unían al ejército, la relación con los erastes los preparaba, supuestamente, para la vida de adulto. La mayoría seguía con sus vidas, se casaban con mujeres y formaban familias.

En Roma, las relaciones entre hombres eran aceptadas, siempre y cuando fueras activo. En aquel entonces, ser pasivo se relacionaba con la debilidad. Como puedes ver, algunos prejuicios vienen de lejos. Era perfectamente normal que los hombres tuvieran sexo homosexual con esclavos o prostitutos. En el caso de las mujeres, lamentablemente, no se encuentran muchos datos que hagan referencia a su sexualidad en las escrituras, pero es sabido que no era muy aceptado.

En realidad, a pesar de la existencia de hechos probados, la homosexualidad ha sido borrada de la historia.

Los historiadores se han encargado de narrar desde la heteronormatividad a su conveniencia, obviando o escondiendo partes importantes de la vida de personas LGBTQ+ a lo largo de los siglos. Personajes como Alejandro Magno, Leonardo Da Vinci, Michelangelo, Oscar Wilde o Eleanor Roosevelt formaban parte de la comunidad LGBTQ+, y es algo que hoy en día sigue siendo ignorado, desde las escuelas hasta los museos.

En una visita al Metropolitan Museum of Art, asistí a un *tour* llamado «*Gay Secrets of the Metropolitan Museum*» con el profesor Andrew Lear. El profesor Lear es un historiador experto en la Grecia y Roma clásicas y la evolución de género y sexualidad a lo largo de los tiempos. Él fue quien me contó la historia entre el emperador Adriano y Antinoo. Adriano fue un poderoso emperador romano conocido como el emperador viajero. Se pasó más de la mitad de sus años de reinado visitando todas las provincias del Imperio. Y fue en uno de sus viajes donde conoció a Antinoo, cuando este tenía trece o catorce años.

Adriano quedó hipnotizado por su belleza y a partir de ese momento está perfectamente documentado que le acompañó en todos sus viajes.

Del mismo modo que en la Grecia clásica, las relaciones homosexuales eran aceptadas hasta la edad de los diecinueve años también en la antigua Roma. Después de años disfrutando de todas las atenciones y viajando por el mundo con el emperador, Antinoo se acercaba a la edad donde debería decir adiós a su amante para seguir con su vida, probablemente uniéndose al ejército. Según algunas teorías, Antinoo no podía soportar la idea de vivir así y se quitó la vida lanzándose al Nilo, donde se ahogó.

Adriano quedó tan destrozado por la muerte de su amante que se obsesionó aún más con él; hasta el punto de que lo elevó a la categoría de dios. Adriano ordenó la creación de la ciudad de Antinoópolis, la organización de competiciones deportivas o la construcción de templos donde Antinoo fue venerado a lo largo del Imperio durante años.

De no haber sido por el profesor Lear, probablemente hubiera pasado por los bustos de Adriano y Antinoo sin descubrir los detalles de esta historia. Es más, no había ni rastro de lo que os acabo de contar en las placas del museo. Me alucinó la manera en la que, paseando por las diferentes salas, fui descubriendo cómo hemos sido borrados de la historia, pese a haber tenido tanta importancia a lo largo de los siglos. Los mismos museos ignoran o esconden personajes o vínculos LGBTQ+ entre sus salas y sentí que rescatar estas historias debía estar presente en nuestra labor de activismo.

Gran parte de este proceso de borrado comenzó con el cristianismo. Con el auge de la religión cristiana, la homosexualidad se empezó a ver con malos ojos y a medida que se extendía la práctica de la religión quedó relegada a la clandestinidad.

Durante la Edad Media, la Inquisición se encargó de perseguir de manera implacable la sodomía, por la que muchos murieron en la hoguera. No obstante, y a pesar de sus esfuerzos, no consiguieron acabar con nosotros, especialmente porque la homosexualidad no existía únicamente en el mundo occidental. Encontramos referencias a la homosexualidad en la India, China, Japón, Nueva Guinea e incluso en algunas regiones de África. En definitiva, podríamos seguir hablando durante horas sobre la evolución de la historia LGBTQ+, pero

La historia está repleta de personas LGBTQ+ que han sido claves para el desarrollo del mundo tal y como hoy lo conocemos.

lo más importante y el motivo por el que he decidido hablar de esto es que quiero que tengas muy claro que no cabe ninguna duda de que la homosexualidad es algo natural, que lejos de ser una nueva moda o un estilo de vida, la homosexualidad ha existido SIEMPRE, a pesar de que se hayan empeñado en ocultárnosla.

La historia está repleta de personas LGBTQ+ que han sido claves para el desarrollo del mundo tal y como hoy lo conocemos.

Probablemente, ya sabías muchas de las cosas que hemos tratado en este capítulo, pero antes de avanzar me ha parecido muy importante (e imprescindible) eliminar algunas ideas (erróneas) de nuestra mente. Porque durante años creí que lo que sentía era antinatural, fruto de una moda que me convertía en una persona débil con poca o ninguna posibilidad de conseguir algo en la vida. Me encantaría que cualquier persona que se sienta así pudiera leer este capítulo para entender que nacimos así, que no hay nada malo en ello y que, le pese a quien le pese, hemos estado, estamos y estaremos aquí para dar guerra.

«Ser di

es un

no una en

ferente
egalo,
ermedad.»

¿Qué so
Huyendo
etiqueta

CAPÍTULO 3

? de las

¿Qué soy? Huyendo de las etiquetas

No podemos negarlo, las etiquetas son parte de nuestras vidas. Nos encanta clasificar las cosas. Y es que cuando ponemos orden a nuestras ideas, tenemos la sensación de que todo cobra más sentido.

Por ejemplo, cuando empezamos a salir con alguien, tarde o temprano nos acabamos preguntando: ¿somos pareja? ¿Somos amigos con derecho o quizás algo más? Si bien es cierto que el simple hecho de definirlo no cambia mucho la realidad, tenemos la curiosa necesidad de etiquetar todo de una forma determinada.

Tal vez sea por eso que al empezar a darnos cuenta de que no nos encaja la etiqueta «heterosexual» que se nos otorga a todos por defecto al nacer, nos sentimos tan perdidos.

Recuerdo que mientras navegaba las misteriosas aguas de los «heteroconfundidos»,[4] mi madre descubrió

---

4. «Moovz, el Facebook de los gays», Alonso Sánchez Baute en la revista *Jet-Set*.

en mi Facebook unas conversaciones un tanto reveladoras. Explicaré la historia con detalle más adelante, pero el punto es que inmediatamente después de ese suceso mis padres dieron por hecho que era gay. Yo estaba en plena etapa de descubrimiento, inmerso en un mar de sentimientos contradictorios y muy lejos de poder identificarme (aún) con una etiqueta.

Entonces, si no soy heterosexual, ¿qué soy? Esa fue una de las preguntas que más me persiguió cuando aún no lo sabía.

Recuerdo que, tal vez, dos o tres personas en mi ciudad eran abiertamente gais, pero eran mucho mayores que yo y sentía no tener nada en común con ellos. Durante años, cuando las dudas atacaban mi cabeza, me convencí a mí mismo de que eso eran tonterías y que tarde o temprano acabarían por desaparecer.

Hasta que llegó el día que cambió todo. Un sábado después de comer, durante mi ritual sagrado de la siesta, escuché el timbre de casa sonar de manera muy insistente. Llamando así solo podían ser mis amigos. Salí a la puerta para ver de qué se trataba y, efectivamente, eran mis amigos. Estaban apoyados en su coche, con sus *outfit* de fiesta a punto y una sonrisa de oreja a oreja. Desde luego, algo tramaban.

Aún medio dormido, les pregunté que a qué venía tanto alboroto. «¡Nos vamos a Barcelona de fiesta!» Mi padre trabajaba en Barcelona y a menudo iba con él, pero nunca había tenido la oportunidad de salir a una discoteca. Por aquel entonces tenía dieciséis años y desconocía la existencia de las discotecas *light* que abrían los sábados por la tarde para menores de dieciocho años. Los que me conocen saben que me apunto a un bombardeo y, por supuesto, en diez minutos ya estaba duchado, cambiado y perfumado; listo para irnos a Barcelona. Nada indicaba que pronto haría un descubrimiento que cambiaría las cosas para siempre. Al llegar a la discoteca, pronto me di cuenta de que estaba en una escena completamente distinta a la que estaba acostumbrado al salir de fiesta. Y no era por los *outfits*, la música o lo *cool* que era la gente. Había algo más. Mientras mis amigos, como era usual, señalaban y comentaban sin parar lo guapísimas que eran las chicas, yo no podía evitar estar pendiente de otra cosa. Y es que desde el momento que entré había un chico de mi edad que no dejaba de mirarme. Elevad lo que sentí por Peter Pan al cuadrado. Nervios. Pero... un momento... ¿existen los gais de mi edad? Esa idea resonó en mi cabeza como un trueno, tan fuerte que ya apenas podía escuchar la música. Basado en los referentes LGBTQ+ de mi ciudad, jamás llegué a plantearme esa posibilidad. Eso cambiaba completamente las cosas... ¿o no? «No, yo no soy gay —pensé—. Espera, me acaba de sonreír», mi corazón no podía ir más rápido, pero le devolví fugazmente una sonrisa tímida. Miedo. ¿Se habrán dado cuenta mis amigos? ¿Y él? ¿Como puede estar tan seguro de sí mismo? ¿No tiene miedo de que lo descubran? Mis amigos me arrastraron a la otra punta de la discoteca a por una ronda de chupitos y lo perdí de vista. Estuvimos bailando cada canción, pasándolo en grande... Pero mientras yo lo buscaba entre la multitud como un niño perdido en un centro comercial.

Nada. Ni rastro del chico misterioso. ¿Se habrá ido a casa? Otra ronda de chupitos más y un par de *putivueltas* cuando, de repente, encienden las luces. ¡Buf! Quería volver a verlo, comprobar si realmente me sentía atraído por él o simplemente era curiosidad. Nos

Entonces, si no soy heterosexual, ¿qué soy? Esa fue una de las preguntas que más me persiguió cuando aún no lo sabía.

dirigimos al guardarropa y, pum, allí estaba: besándose con otro chico, igual o más guapo que él.

No miento si te digo que la puñalada que sentí en el pecho fue más fuerte que nada que me hubiera pasado antes. Me sentí traicionado, rechazado, triste y, sobre todo, muy muy confuso. ¿Cómo es posible que alguien que ni siquiera conozco me despierte tantos sentimientos? Cuando el chico se dio cuenta de que lo estaba mirando, levantó los hombros con cara de circunstancia, sonrió pícaramente y desapareció entre la multitud. Yo me quedé allí plantado, sonriendo otra vez porque él me había sonreído. Mis amigos aparecieron con las chaquetas y antes de que me diera cuenta estaba sentado en el coche de camino a casa. Durante la hora que duró el trayecto, con la mirada perdida en la ventana, no dejé de pensar en que, por mucho que lo negara, el descubrimiento que había hecho y lo que había sentido esa tarde cambiaría las cosas para siempre.

A partir de ese día las dudas fueron cada vez más evidentes. Empezaba a entender que no era heterosexual.

Porque lo que nos hace homosexuales no es sentir atracción física hacia alguien de nuestro mismo sexo, sino el tener la capacidad de desarrollar sentimientos hacia ellos. En mi cabeza comenzó una lucha entre la negación y la asignación de una etiqueta para la que, desde luego, no estaba preparado. Entonces ¿era gay?, ¿bisexual?, ¿hetero pasando una etapa de curiosidad? Demasiadas dudas, demasiadas contradicciones.

Al nacer, a todos nos tocan unas cartas y depende de nosotros cómo jugarlas durante la partida. La realidad es que cuanto antes entendamos y aceptemos que esas cartas son las que nos han tocado, que no podemos

Al nacer, a todos nos tocan unas cartas y depende de nosotros cómo jugarlas durante la partida.

hacer nada para cambiarlas y que depende de nosotros y de nadie más lo bien que nos irá jugándolas, mejor. Por eso, a tu debido tiempo y sin la presión de tener que definirte, siempre animo a explorar qué es lo que realmente quieres. Porque a lo largo de mi vida he conocido a muchas personas que han decidido convivir con esos malos sentimientos todos los días y eso les hace increíblemente infelices. Si de algo estoy seguro, es de que no hemos venido a este mundo a sufrir, y nadie debería hacerlo por algo así. No podemos decidir cómo somos, pero sí la forma en que actuamos al respecto.

Antes que nada, empecemos por aclarar algo. Ser afeminado, que te guste jugar con muñecas o con camiones y toda la serie de estereotipos que vienen ligados al género que se nos otorga al nacer son tonterías. Me gustaría creer que hoy en día ya no es importante y que cada vez más los niños crecen sin ser forzados a seguir estereotipos. Pero lamentablemente, y sin ir más lejos, en pleno siglo XXI aún hay campañas que defienden cosas tan absurdas como que «el azul para los niños y el rosa para las niñas».

La influencia de la sociedad ejerce tanta fuerza que sin darnos cuenta va formando creencias en nuestras cabezas que luego nos pueden hacer mucho daño. En mi casa, curiosamente era yo quien marcaba los estereotipos. Mi madre me compró una camisa rosa que se quedó eternamente en el armario porque por aquel entonces consideraba que ese era un color de niña.

La obsesión por los estereotipos puede llevar a las familias a intentar corregir conductas de sus hijxs en lugar de dejarlxs ser ellxs mismxs. Recuerdo el caso de un amigo a quien le prohibían ver telenovelas porque «eran cosas de mujeres», o una chica de mi clase que era, sin lugar a duda, la mejor jugando al fútbol, pero a sus padres no les hacía ni pizca de gracia. De ninguna manera jugar con muñecas o camiones, ser sensible o rudx, ni jugar al básquet o practicar *ballet* va a definir hacia quién nos sentimos atraídxs.

En este capítulo, exploramos las siglas que utilizamos para nombrar a nuestra comunidad y con las que a partir de ahora me referiré a nuestro colectivo. Entenderemos la diferencia entre identidad sexual e identidad de género. Trataremos la importancia de usar las etiquetas, y si solo nos sirven para sentirnos mejor. Y, lo más importante, intentaré darte toda la información para que puedas decidir si te sientes identificadx con alguna de esas letras. Porque no todxs estamos hechxs para caber en el mismo molde, pero todxs formamos parte de esta gran familia.

Entonces ¿cuáles son las etiquetas que existen para definirnos? Las siglas LGBTQ+ comprenden a todos los miembros de la comunidad y es por eso que se han ido añadiendo letras a lo largo de los años. Es tan posible que te resulte fácil identificarte con alguna de estas etiquetas como que tengas muchas dudas. O hasta que no te identifiques con ninguna.

Tu identidad es completamente única y no tiene por qué seguir las normas de los demás.

Nacemos con la idea de que al crecer debemos encajar y conformarnos con las reglas heteronormativas.

Tanto la identidad de género como la sexualidad son aspectos que evolucionan. Es un proceso tan natural como lo es el desarrollo de nuestros cuerpos, donde hay fases de descubrimiento, de transformación y de experimentación y reafirmación. Todas son igual de válidas y muy necesarias.

El género evoluciona y la sexualidad también, así que no te apresures a identificarte con algo con lo que no te sientxs completamente cómodx. Intenta dejar a un lado la presión social que nos obliga a saber y a decidir cuál es nuestra etiqueta y escucha únicamente cómo te sientes en tu interior. Sea como sea, en el caso de que te decidas por alguna, cualquiera de las siguientes opciones te puede servir. No te presiones porque hoy te identifiques de una forma, eso no quita para que en algún momento puedas sentir(te) algo distinto.

Una mujer que se siente únicamente atraída emocional y sexualmente hacia otras mujeres se conoce como lesbiana. La palabra lesbiana viene de la isla de Lesbos. Allí nació Safo, una poetisa de la antigua Grecia de la que se conservan escritos donde habla de la belleza de las mujeres y el amor que sentía hacia ellas. Durante siglos, y dado que generalmente se mantenía en secreto, no había ningún término para describir el amor entre mujeres. No fue hasta finales del siglo XIX que la palabra lesbiana empezó a ser utilizada. Hoy está comúnmente aceptada y no tiene ninguna connotación peyorativa.

Un hombre que se siente únicamente atraído emocional y sexualmente hacia otros hombres se conoce como gay. La palabra gay existía mucho antes de que la empezáramos a utilizar de esta forma y significaba alegre o despreocupado. Para evitar utilizar el término homosexual, que, sin duda tenía connotaciones negativas al estar erróneamente relacionado con una en-

Nacemos con la idea de que al crecer debemos encajar y conformarnos con las reglas heteronormativas.

fermedad, se optó por la palabra gay con connotación positiva.

Si te fijas, hasta ahora hemos hablado de personas que se sientan exclusivamente atraídas hacia hombres o mujeres. Las personas que pueden sentirse atraídas emocional o sexualmente por cualquiera de los dos sexos son conocidos como bisexuales. Eso no significa que tengas que sentirte atraídx por igual hacia los dos. Si generalmente prefieres estar con chicas, pero también disfrutas estando con chicos, eres bisexual. Aclaro esto porque lamentablemente es demasiado común tachar a los bisexuales de no querer definirse. Es cierto que hay personas que en su proceso de experimentación, antes de definirse como gais o lesbianas, se identifican como bisexuales, pero eso no significa que sea así para todo el mundo. Para muchas personas la bisexualidad es su orientación sexual y es una opción perfectamente válida, que, además, ha existido desde la antigua Grecia.

No dejes que nadie te presione haciéndote elegir un lado u otro y tampoco lo hagas tú.

Nuestra obsesión por querer simplificar las cosas puede hacer daño a personas con sentimientos tan correctos como los tuyos. El sexo, el género y la identidad de género están conectadas, pero son partes diferentes de una persona. En algunas están alineadas, pero en otras no. Es importante entender bien qué significa esto.

Al nacer, en el hospital se nos asigna un género, basado en nuestros genitales. Es lo que aparece en nuestra partida de nacimiento y puede ser femenino o masculino.

Como género, entendemos aquello que la sociedad espera ver de nosotrxs en nuestro comportamiento

No dejes que nadie te presione haciéndote elegir un lado u otro y tampoco lo hagas tú.

como niños o niñas. Eso tiene que ver con cómo hablamos, nos vistamos y, en general, nos comportemos. Ahí es donde entran los conceptos de masculinidad y feminidad.

El género se divide en dos campos: por un lado, la identidad de género que se refiere a cómo nos sentimos en nuestro interior, en el espectro binario o fuera de él. Por el otro, la expresión de género, es decir, cómo nos proyectamos ante la sociedad a través de nuestra forma de vestir y actuar.

Todas aquellas personas con una identidad de género que no se corresponde al sexo que se les asignó al nacer son conocidas como personas transgénero. Por otro lado, las personas con una identidad de género que sí se corresponde al sexo que se les asignó al nacer son conocidas como personas cisgénero.

Cuando una persona transgénero decide vivir de acuerdo con la identidad de género con la que se identifica, realiza un proceso de transición que puede o no conllevar terapias hormonales o procedimientos quirúrgicos. Es importante que remarquemos este tema. Ser transgénero no tiene por qué ir ligado a pasar por el quirófano. Ser hombre o mujer tiene que ver con cómo se identifica la persona y no con el resultado de ninguna operación quirúrgica. No está bien que preguntemos, bajo ningún concepto, a una persona transgénero si se ha sometido a cirugías o tratamientos hormonales. Es una decisión personal de cada unx y no incumbe absolutamente a nadie más. Por otra parte, es precisamente el coste de estos tratamientos lo que impide que muchas personas puedan tener acceso a su proceso de transición. En algunos países la sanidad pública cubre este tipo de intervenciones, pero debemos seguir

Ser transgénero no tiene nada que ver con ser gay. El género y la orientación sexual son cosas completamente distintas.

luchando para que todas las personas transgénero puedan tomar libremente su decisión sin tener que preocuparse por su capacidad económica.

La transición puede ser tanto de hombre a mujer (MTF - *Male to Female*), como de mujer a hombre (FTM - *Female to Male*). Hay personas que prefieren identificarse simplemente como mujeres trans u hombres trans.

Ser transgénero no tiene nada que ver con ser gay. El género y la orientación sexual son cosas completamente distintas.

Puede ser que un hombre o una mujer trans sean homosexuales, bisexuales, heterosexuales o cualquier otra identidad con la que se sientan cómodxs.

A pesar de formar parte de la comunidad LGBTQ+, la población trans es, con demasiada frecuencia, víctima de discriminación, actos de violencia e injusticias; no solo por parte de los heterosexuales, sino también de la propia comunidad. Puede parecer complicado, pero es de vital importancia que tengamos muy claros estos términos para entender, apoyar y defender a nuestrxs hermanxs trans.

Como hombre gay cisgénero, me es prácticamente imposible llegar a imaginar el proceso por el que pasan las personas transgénero. Hasta ahora hablábamos de orientación sexual dependiendo del género por el que nos sentimos atraídos. Para las personas transgénero, esto no tiene nada que ver, al menos, no al principio. La batalla es doble. Por eso, algunxs hablan de tener que salir del armario dos veces. Primero, como personas transgénero y después de acuerdo con la orientación sexual con la que se sientan identificadxs. Debe de ser un proceso durísimo. Si mirarme al espejo como hombre gay me resultaba incómodo, ¿te imaginas, además, sentirte desconectado de tu sexo? Esta desconexión tiene un impacto profundo en la vida de las personas trans y es conocido como disforia de género. Como dije antes, es nuestro deber ponernos en la piel de nuestros hermanxs trans y apoyarnos como parte de la familia que somos. Si no estamos ahí lxs unxs con lxs otrxs, ¿quién lo estará?

Durante muchos años la palabra *queer* tenía una fuerte carga negativa y era utilizada como un insulto. Viene del inglés y significa raro o peculiar. Hoy su uso es reivindicativo y ha pasado a ser una identidad con la que muchos se definen con orgullo. Son *queer* todas aquellas personas que rechazan las etiquetas tradicionales. Cualquier persona que sienta que las etiquetas limitan y están basadas en los prejuicios y formas de pensar de la mayoría se identifica como *queer*, independientemente de hacia quién se sientan atraídxs sexualmente. Por ejemplo, hay personas que se identifican con una identidad de género no-binarias. Son personas que fluctúan entre lo masculino y femenino, sin transición de ningún tipo. Simplemente, se identifican como personas que viven fuera de las normas binarias. En esa línea existen personas que se identifican cómo género fluido, género *queer*, personas que simplemente no se conforman con la construcción del género binario o personas que se esfuerzan en subvertir las nociones tradicionales de identidad de género y roles de género. También existen personas que se identifican como agénero o sin género, lo que significa la ausencia total de cualquier género en su individuo.

En 2018, el estado de California en EE. UU. fue el primero en reconocer la identidad de género no-binaria como tercera opción en documentos legales. Aquellas personas que no se identifiquen con el género masculino o femenino ya pueden cambiar su licencia de conducir o identificación. Del mismo modo, la acrolínea United ya admite la utilización de la identidad no-binaria en sus reservas. Un paso muy importante, ya que de este modo todas las personas, con indiferencia a su identidad de género, se sienten incluidas y representadas.

Hay personas que nacen con una anatomía reproductiva distinta a la que típicamente se espera del hombre o de la mujer. Eso significa que pueden presentar características tanto de los órganos reproductivos masculinos y femeninos, en mayor o menor grado, a la vez. Estas diferencias pueden presentarse al nacer dificultando la asignación de un sexo u otro, o más adelante, por ejemplo, durante la pubertad. Durante muchos años, se han cometido verdaderas aberraciones hacia las personas intersexuales, mutilando sus genitales para que se adecuaran, por fuerza, a la apariencia binaria.

Algo terrible, porque es posible que no se identifiquen con el género que se ha escogido para ellxs. Por suerte, mucho países contemplan a las personas intersexuales y las protegen, evitando forzar la asignación de un sexo al nacer, dejando que sean lxs propixs niñxs al crecer quienes determinen cómo se identifican. Lo cual impide esas mutilaciones que en ningún caso deben ser contempladas como posible solución. Alemania, por ejemplo, es uno de los países que reconoce a las personas intersexuales en documentos legales y como tercera opción de género.

Si eres o crees que eres intersexual, tienes que saber que eres perfectx tal y como eres. No tengas prisa por querer definirte. No es una condición convencional, pero no vas a tener ningún tipo de problema para tener una vida social y sexual completamente feliz. Puedes o no identificarte con la comunidad LGBTQ+, pero si lo haces, que sepas que eres bienvenidx y cuentas con todo nuestro apoyo.

Aquellas personas que aún están explorando su orientación sexual o identidad de género forman parte de la comunidad LGBTQ+ y se conocen como curiosos.

Es completamente normal no estar seguro y dedicar el tiempo que haga falta para tomar decisiones.

Todo a su debido tiempo, no hay prisa.

Las personas asexuales son aquellas que sienten poco o ningún interés en tener sexo con otras personas. No es que no puedan, es que no sienten la necesidad de hacerlo. Esto no tiene nada que ver con enamorarse, besar o acariciar. Simplemente, el interés por el sexo no es algo importante para ellos y eso es completamente normal. Hay personas que viven épocas en las que se identifican como asexuales, pero del mismo modo que con el resto, las identidades son flexibles y pueden cambiar.

Las personas pansexuales son aquellas que pueden sentirse atraídas emocional y sexualmente hacia cualquier persona, independientemente de su género. Por tanto, eso incluye a cualquier persona en el espectro de género, lo que incluye personas transgénero, género no-binario, género fluido o intersexual.

¡Ah! Es importante respetar los pronombres que las personas utilizan para describirse. No cuesta nada preguntar qué pronombres prefieren que utilicemos y es un detalle por nuestra parte que hará que la otra persona se sienta bien. También es posible que su decisión cambie y fluya de la mano de su identidad de género, sea como sea, es decisión suya.

¿Cómo vas? Mucha información, ¿verdad? Tener información es importante porque nos ayuda a poder tomar decisiones correctamente. Lo importante es no agobiarse, no dejar que nos presionen y, sobre todo, tener paciencia y la mente abierta para descubrir aquello que realmente nos hace felices. ¿Crees que es importante definirse? Especialmente, cuando hablamos de orientación sexual, las etiquetas no siempre funcionan. O sí. Pero eso dependerá de cómo se sienta cada unx. A menudo, cuando somos capaces de definirnos, nos sentimos mejor. Sentimos que encajamos. A pesar de que ya haya etiquetas creadas, la orientación sexual es algo muy personal y cada persona lo vive a su manera.

Pese a que pueda resultar un poco confuso al principio, es muy importante que entendamos bien estos términos. Cada vez existen más personas que no se encuentran cómodas con las normas de género establecidas y debemos respetar y defender su derecho a expresarse tal y como se sienten.

Es importante respetar, escuchar y entender la forma en la que cualquier ser humano se presenta ante el mundo.

Nuestra sexualidad es cambiante y puede evolucionar a lo largo de los años. En mi caso, fue un proceso largo, complicado y lleno de incertidumbre. Pero no hay reglas escritas sobre esto. Hay personas que tardan más, otras que lo tienen claro antes. Cada unx es un mundo y todas las opciones son buenas. Nada es blanco

Es importante respetar, escuchar y entender la forma en la que cualquier ser humano se presenta ante el mundo.

o negro. Lejos de ser algo estático, lo que sientes ahora puede ser distinto a lo que sientas dentro de unos años. Hay una increíble escala de grises que hacen de este tema algo muy interesante. Pasar por una etapa de experimentación puede funcionar hasta que realmente sientas que estás segurx de lo que quieres. Busca lo que funciona para ti, no tengas prisa y, sobre todo, utiliza las etiquetas solo si te hacen sentirte mejor.

En este periodo de descubrimiento te puede servir leer, ver series, películas... Yo devoraba cualquier contenido relacionado con el tema con el fin de comprender mejor qué me interesaba.

Aunque ya hayas pasado por esta etapa, no deja de ser importante que conozcamos muy bien la comunidad de la que formamos parte. Para poder desmontar prejuicios y defender a la comunidad LGBTQ+ debemos entender que es muy diversa. Cada una de las letras que la conforman pasan por experiencias vitales distintas, unas más duras que otras, pero todas igual de válidas. A pesar de las diferencias, hay algo muy importante que nos une: la lucha por nuestros derechos. Debemos trabajar juntos para visibilizar a todas las letras del colectivo y no pensar únicamente en lo que nos atañe a nosotrxs. Juntxs tenemos muchísima fuerza y paso a paso lograremos hacer que nuestras voces sean escuchadas.

«El a
entiende
ni etiq

or no

e géneros

etas.»

Así en la
como en

tierra
el cielo

Así en la tierra como en el cielo

Una de las razones que posiblemente puedan causarte más confusión a la hora de aclararte es la religión. Independientemente de cuáles sean tus creencias, debemos aceptar que la religión forma parte de nuestra sociedad y, lo creas o no, nos afecta directamente.

Las religiones conservadoras están tristemente asociadas con un alto nivel de LGBTfobia y prejuicios. Debemos pensar en aquellxs niñxs que por culpa de una mala interpretación de la religión crecerán entendiendo su sexualidad como un defecto del que avergonzarse y vivirán con una autoestima tan baja que les hará vulnerables al *bullying* y las consecuentes secuelas psicológicas.

Si has crecido en una familia religiosa, entenderás mejor que nadie qué significa sentirse doblemente aislado.

Cuando empiezas a darte cuenta de que tu vida no seguirá el camino convencional, todas las contradicciones y miedos salen a flote.

Cuando empiezas a darte cuenta de que tu vida no seguirá el camino convencional, todas las contradicciones y miedos salen a flote.

En general, los creyentes utilizan sus libros sagrados a modo de guía de vida. Lamentablemente, algunas de las religiones más extendidas en el mundo interpretan de manera literal lo escrito en esos libros. Es por eso que mantienen posiciones muy negativas y llenas de prejuicios sobre la comunidad. Para cualquier persona LGBTQ+ creyente esto tiene un impacto devastador. Aun entre dudas, cuando analizas qué podría pasar si realmente eres parte de la comunidad, entiendes que te arriesgas al rechazo no solo de tu familia, amigos y entorno. Pero para un creyente eso no termina ahí. Aquellos líderes religiosos que predican que la no heteronormatividad es un pecado están relegando a los creyentes LGBTQ+ a un segundo plano. Les están condenando a sentirse culpables el resto de su vida por el simple hecho de querer a otra persona. Si la base de todas las religiones es el amor, ¿cómo pueden dormir tranquilos sabiendo que están apartando a tantas personas de sus creencias? De ser posible, te recomiendo buscar a alguien que comparta tu religión, pero con una visión más amigable y alejada de los prejuicios. Por absurdo que pueda parecer, hay mucha gente que ha crecido escuchando que personas del colectivo, con su vida de pecado, son las culpables de enfermedades, muerte y hasta desastres naturales. Crecer pensando que aquello que sientes no solo está mal, sino que, además, va a condenarte eternamente, es una carga que trae terribles consecuencias emocionales y por lo que nadie debería tener que pasar.

A los dieciséis años entré a estudiar en un colegio religioso muy conservador. Crecí y fui educado en una familia y escuela laicas, por lo que hasta entonces mi relación con la Iglesia se limitaba a entierros, bautizos, bodas y comuniones. Mi mala relación con las ciencias me llevó a tener que repetir curso y mis padres escogieron este colegio por sus buenas referencias y nivel académico.

El cambio fue un *shock* bastante fuerte. Pasé de estudiar en un colegio laico, mixto y sin uniforme a uno donde la religión era el eje central de la educación, vestía el mismo uniforme todos los días y donde, por supuesto, solo había chicos. Al principio, pasar el día rodeado de chicos no me hacía mucha gracia, pero digamos que finalmente logré hacerme a la idea.

Inmerso en plena etapa de negación, la religión supuso para mí un «alivio» a mis pensamientos. Creía que la rectitud, constancia y escrupulosidad con la que entendían la vida podría ayudarme a enderezar y enterrar mis debilidades. Por aquel entonces entendía por debilidades todos los pensamientos de atracción o deseo que pudiera tener hacia otros chicos. Funcionó durante un tiempo. Incluso empecé a ir a misa los domingos e intenté (sin éxito) convencer a mi familia de que algún día me acompañaran.

Mis padres no daban crédito. Esperaban que solo fuera una etapa que ya se me pasaría. Al final, mientras llevara buenas notas a casa, estaban contentos. Echando la vista atrás, entiendo perfectamente lo que estaba haciendo: negando la realidad y luchando con todas mis fuerzas contra mis sentimientos. La religión dejaba claro que sentirse atraído por alguien de tu mismo sexo era un pecado muy grave y que no había lugar en la Iglesia para personas como yo. Encontré refugio en la confesión y abracé la religión como conducto de salvación de todos mis miedos. Semana tras semana visitaba al cura para confesar mis pecados. Era lo de siempre. Sentimientos y actos impuros. Por suerte, al cura ni se le pasaba por la cabeza si estos eran sobre chicos o chicas. Se limitaba a preguntarme si los pecados los hacía solo o acompañado. Obviamente, confesarme solo me quitaba parte de la culpa. Seguía sintiendo que estaba engañando a todos los de mi alrededor. Me sentía un fraude. Quería cambiar.

Me convertí en una persona atormentada, envuelta en un permanente sentimiento de culpa y una horrible sensación de autorrechazo.

Una de las cosas que más disfrutaba era la meditación. Su forma de entenderla no está muy alejada de algunos ejercicios que tan de moda están ahora. Al final, significaba poder estar media hora conmigo mismo, reflexionando sobre mis inquietudes. Lo que cambia, y mucho, es el contenido. Me dieron como guía algunas meditaciones. A pesar de tener algunos puntos que me motivaban con mis propósitos, los estudios y a portarme mejor en casa, en general, el resultado era siempre el mismo: machacarme día tras día. Cada vez que me fijaba en un chico o que navegando por la red terminaba donde no debía, sentía un rechazo hacia mí mismo por el que me obligaba a «pagar». Fui muy duro conmigo, era mi peor enemigo. Me atormentaba analizando sin parar todo aquello que hacía mal. Mi autoestima se fue derrumbando. Acabé por pensar que realmente había algo muy malo en mí y que esas tendencias acabarían por descarrilar mi vida.

¿Te imaginas cómo me pude llegar a sentir?

A esa edad ya había desarrollado una homofobia internalizada que me llevó a odiarme durante mucho tiempo.

Mi experiencia con la religión solo logró machacarme aún más.

La lucha entre «el bien» y «el mal» protagonizaba la mayor parte de mis días, alejándome cada vez más de la posibilidad de aceptarme tal y como era.

Normalmente, pasaba el tiempo rodeado de gente u ocupado haciendo algo. Perfecto para tener la cabeza adormecida. Pero las meditaciones fueron un antes y un después. Solo y en silencio ante mis miedos era cuando más dudas sentía. Gran parte de mi relación con Dios se basaba en pedirle con todas mis fuerzas que me cambiara. Que me ayudara a ser más fuerte, a no volver a caer. Que me perdonara por ser como era. Pese a que por fuera, aparentemente, era un niño alegre y sonriente, aquella época fue, sin duda, una de las más oscuras de mi vida.

Durante este proceso espiritual tan duro siempre tuve a una persona con la que podía sincerarme. Para entendernos, es una persona con la que llegas a tener un grado de confianza, incluso más fuerte que con tu familia o amigos. Es con quien compartes las dudas que puedas tener sobre la vida para ayudarte a ser mejor persona. Una especie de guía espiritual. Al llegar al colegio, como a todos los alumnos, me asignaron uno con el que tenía muy buena relación. La verdad es que siempre me recordaba que no debía ser tan escrupuloso a la hora de examinar mi conciencia, pero lo cierto es que no podía evitarlo. De algún modo, me autocastigaba por esos pensamientos que me atacaban cada vez con más frecuencia.

De hecho, fue un día, después de darle muchísimas vueltas, que durante la meditación la situación dio un giro inesperado. Supongo que llegué a mi límite. Estaba cansado de sentirme mal. Agotado de autocastigarme. Harto por pedir perdón continuamente. Derrotado y sin más ganas de luchar contra algo que empezaba a entender que estaba allí para quedarse.

Decidí levantarme e ir directamente a hablar con mi guía espiritual. Le dije que tenía algo importante que contarle, algo a lo que le había estado dando muchas vueltas. Estábamos en su despacho, sentados en dos sillones, uno frente al otro. Le solté, sin paños calientes, que tras pensarlo mucho me había dado cuenta de que me sentía atraído por otros chicos. Le pilló completamente por sorpresa. Ahora que lo pienso, fue la primera persona con la que salí del armario. En ese momento, aprendí el verdadero significado de un silencio incómodo. Durante por lo menos unos eternos tres minutos, preparó con los ojos cerrados y la respiración fuerte la respuesta a lo que le acababa de vomitar. Cuando finalmente se decidió a romper el silencio me dijo:

—Tienes mucha suerte… Tienes mucha suerte de que desde tan joven hayas descubierto tu cruz. Esta cruz te acompañará el resto de tu vida. Va a doler y te va a costar, pero debes estar agradecido y esforzarte para cargarla.

Su respuesta tuvo el efecto contrario a lo esperado. Consiguió despertar en mí un sentimiento de

A esa edad ya había desarrollado una homofobia internalizada que me llevó a odiarme durante mucho tiempo.

autoestima y valor espontáneo que hacía mucho que estaba dormido. No podía estar más en desacuerdo. Es más, precisamente en ese momento algo cambió en mi mente. Le contesté que después de sufrir y pensarlo mucho no creía que fuera una cruz. Que si Dios me había creado, lo había hecho tal y como soy y que estaba convencido de que Dios no nos mandaba a este mundo para sufrir. Me levanté, dije que por el momento no quería tocar más el tema y me fui. De hecho, intenté terminar lo que me quedaba de curso, distanciándome cada vez más de algo que me hacía sentir incómodo.

Aún estaba muy lejos de poder aceptarme, pero a partir de ese momento tuve claro algo muy importante: no iba a permitir que nada ni nadie me hiciera daño, porque, a pesar de no entender aún lo que ocurría en mi cabeza, supe que algún día las cosas iban a cambiar.

Después de eso, mi relación con la Iglesia quedó muy tocada. Aunque no mi relación con Dios. Hoy en día sigo sin estar plenamente convencido de mi relación con Dios, pero continúo trabajando para descubrir mi espiritualidad.

Lo más importante es tener claro que no necesitamos de nada ni de nadie para estar en paz con nosotros mismos.

La relación entre tú y lo que sea, Dios, el Universo... no entiende de intermediarios. A pesar del rechazo, existen muchas personas que son LGBTQ+ y creyentes. Es más, no debería estar reñido. Los escándalos de abusos, la inactividad de la Iglesia la hora de actuar, los silencios cómplices. Miles y miles de niñxs con la inocencia robada. La Iglesia tiene demasiadas cosas de las que avergonzarse como para atreverse a

Lo más importante es tener claro que no necesitamos de nada ni de nadie para estar en paz con nosotros mismos.

pensar que tienen el poder de alejar a cualquier persona de su fe.

Me parece muy injusto que haya tantas personas de nuestra comunidad que sean y se sientan apartadas de la Iglesia por la opinión de unos pocos y espero que algún día esto cambie. La espiritualidad de cada unx es algo sobre lo que nadie tiene el poder de juzgar. De hecho, la gran mayoría de las religiones nos han despojado de nuestro derecho a la espiritualidad. Existen algunas iglesias y centros de espiritualidad enfocados a la comunidad LGBTQ+, pero son pocos y, a menudo, mantienen el estigma y la culpa alrededor del colectivo.

El problema radica cuando las personas se aferran a interpretar textualmente documentos escritos hace miles de años. Han sido traducidos miles de veces, por lo que no tiene sentido tomarse nada al pie de la letra. Hay algunas menciones en la Biblia acerca de la homosexualidad, pero también las hay que hacen referencia a la venta de esclavos, no comer marisco o asesinar a las mujeres adúlteras. Los LGBTfobos escogen apoyarse únicamente en las partes que les interesan. Mi recomendación es no entrar en discusiones con fanáticos religiosos.

Por experiencia te puedo decir que por muy buenos que sean tus argumentos no lograrás conseguir que se muevan de donde están. Quien quiera odiarte te va a odiar.

Enfoquemos nuestras energías en construir sobre positivo con aquellas personas que sí son aliadas y nos quieren tal y como somos.

Todxs, creyentes o no, somos individuxs con opiniones válidas, al margen de lo que digan los libros sagrados. Tengo absoluta confianza en que algún día la mayoría de los creyentes deje a un lado los prejuicios y utilice las enseñanzas de su dios para vivir en tolerancia y amor. Espero que en particular la Iglesia católica recapacite y abra las puertas que durante tantos años ha cerrado a las personas LGBTQ+. Porque si tal y como predican, Él sacrificó su vida para salvar a toda la humanidad, eso le pese a quien le pese, nos incluye también a nosotros.

«No de
nada r
dicte cómo
vivir tu

es que
nadie
tienes que
vida.»

Ahora que lo sabes

CAPÍTULO 5

ue ya

Ahora que ya lo sabes

Cuando te das cuenta de que por mucho que lo intentes esos sentimientos están ahí para quedarse, empieza uno de los procesos más difíciles: aceptarse. Saber que algo que no has elegido va a hacerte vivir siempre en riesgo de sufrir discriminación no es fácil de digerir. Hay infinidad de factores que pueden facilitar o complicar las cosas, por lo que el proceso nunca es igual para todo el mundo. Pueden existir similitudes que nos ayuden a recorrer el camino, si bien cada persona lo vive a su ritmo y con sus condiciones. Lo que para mí pudo ser muy difícil, para otra persona puede resultar la parte más sencilla. Con esto quiero decir que lo más importante es que veas que estás preparadx para vivir tu vida de verdad, sin tener en cuenta nada más que tus propios sentimientos.

Es posible que requiramos de ayuda para poder aceptarnos, y eso está bien. Llegar a aceptarnos y querernos tal y como somos va a suponer una de las claves del éxito para alcanzar la felicidad. Por el contrario, huir hacia delante dejando temas sin resolver va a aflorar en forma de problemas en el futuro. Hay psicólogos, como Gabriel J. Martin, especializados en psicología afirmativa gay que tienen todas las claves para ayudarnos en este proceso.

La primera reacción de mis padres al enterarse de que me gustaban los chicos fue buscar el apoyo de un profesional para ayudarme a pasar por el proceso de una manera menos traumática. En aquel momento la idea de ir a un psicólogo no solo me pareció descabellada, sino que incluso me lo tomé mal, muy mal.

Comprender que lo que estamos viviendo es un proceso por el que ya han pasado millones de personas nos permite hacernos sentir menos perdidos y, con suerte, un poco mejor.

Hay varios estudios que intentan explicar las distintas etapas del proceso de aceptación. Basándome en mi experiencia, pienso que el de Vivianne Cass[5] es muy acertado. Ella lo divide en 6 etapas, aunque no todos pasamos por ellas de la misma manera ni con la misma velocidad.

---

5. The Cass Model of Gay/Lesbian Identity Development. Center for Trans and Queer Advocacy Mission Statement (West Chester University).

Primera etapa: la confusión

Empezamos fuerte, porque es probablemente una de las más complicadas. Puede alargarse durante mucho tiempo (años, incluso) y es la etapa en la que muchas personas se quedan estancadas. Aquí, la negación y el autorrechazo se encargan de generar una infelicidad absoluta. Todas las preguntas afloran y el autoengaño se convierte en tu peor enemigo.

Durante años me autoconvencí de que estos pensamientos no eran importantes y que bajo ningún concepto era posible que yo fuera homosexual. Simplemente, no entraba dentro de mis esquemas.

Cuando empecé a sentirme atraído por chicos… No había nada que me hiciera sentir peor.

Me sentía culpable, pero por encima de todo, solo. El hecho de que a la vez puedas tener sentimientos por personas del sexo opuesto, o incluso tener una relación, complica aún más las cosas. Desde los catorce años tenía un *crush* con mi vecina. A los quince empezamos a salir y es la persona con quien, estando perdidamente enamorado, perdí la virginidad. Estuvimos juntos durante 3 años y, la verdad, en ese momento mi pensamiento era el de seguir con ella el resto de mi vida. Pero ¿es posible sentir atracción por alguien de tu mismo sexo mientras estás enamorado de alguien del sexo opuesto? Pues sí… Pero la clave estaba en entender con qué me sentía más a gusto. Por un lado, tenía una relación en la que había confianza, amor, mucha diversión y, lo que era más importante para mí en ese momento, estaba socialmente aceptada. Por el otro, algo que me causaba remordimiento, culpa y un miedo terrible: que me gustaran los chicos.

Esos eran sentimientos horribles que me perseguían todos los días y es por eso que, durante años y con mucho esfuerzo, conseguí guardarlo al fondo de un cajón para no verlo (ojos que no ven...). Enterrar esos sentimientos me funcionaba un tiempo, pero tarde o temprano volvían a aparecer y con más fuerza que la vez anterior. Echando la vista atrás, os puedo asegurar que fueron los años más tristes de mi vida. De cara a la galería parecía un chico perfectamente feliz, pero la procesión iba por dentro.

Segunda etapa: la comparación

Cuando te atreves a sopesar la posibilidad de que tus peores miedos sean ciertos, comienza un sinfín de suposiciones. Suposiciones acompañadas de un miedo terrible a ser descubiertx. Es común imaginar mil y una situaciones en las que repasas al detalle cómo sería tu vida en el caso de que realmente fueras LGBTQ+. Me gusta analizar los pros y los contras de cada situación. Lo hago desde pequeño, al principio mentalmente y más adelante utilizando una hoja de papel.

La primera vez que me atreví a sacar esos pensamientos de mi cabeza para plasmarlos en un papel y valorar los pros y los contras se desató en mí un miedo y una ira que no entendía. Me eché a llorar, rompí el papel en mil pedazos y salí a la calle para deshacerme de ellos. Tenía miedo a que alguien pudiera entretenerse en reconstruir la hoja y leer lo que había escrito.

Pasar completamente solo por este proceso, guardando el secreto y rodeado de un ambiente completamente heteronormativo, puede llevarte a sentirte aislado y muy muy triste. Es un sentimiento horrible con el que nos enfrentamos en una batalla interna muy complicada. Tanto es así que las líneas entre una etapa y otra pueden resultar muy finas. Es posible y completamente normal que adelantemos y retrocedamos en el proceso, según lo que vayamos viviendo.

Experimentar es algo que puede ocurrir tanto en la etapa de confusión como en la de comparación, y en ambas desarrollamos una tendencia increíble a autoengañarnos y a esconder nuestros sentimientos debajo de la alfombra. Es común que ocurra con mucho alcohol por en medio o en circunstancias que permitan que le restemos importancia.

Después de haber estado con algún chico me sentía tan mal que no podía ni mirarme al espejo.

Me envolvía una mezcla de vergüenza, culpa y rechazo que podían acompañarme varias semanas. Era entonces cuando me prometía que no volvería a caer. Pero lo hacía. Siempre lo hacía. La «mejor» forma que encontré para intentar sentirme menos culpable era bloquear mis sentimientos y convencerme de que era solo sexo.

Durante mucho tiempo llegué a pensar que había llegado a estar con chicos únicamente por vicio, tal vez bisexual, pero que de ninguna manera eso me convertía en gay. Una postura dañina para mí y para los demás, porque me llevó a comportarme como un completo imbécil con los chicos con los que salía. Creía y decía estar emocionalmente no disponible, me veía con ellos solo en mi casa, intentaba no quedar a menudo con el mismo chico y cuando lo hacía me aseguraba de que quedara claro que las cosas nunca irían a más. Me siento mal solo de acordarme, porque sé que hice daño a otras personas solo por el hecho de no estar bien. Cuando conocemos a alguien y las cosas no funcionan, tendemos a pensar que es culpa nuestra. Pero, en realidad, debemos tener en mente que es posible que el problema sea suyo. Es vital para la salud mental de una persona pasar por todos los procesos y lidiar con ellos de la manera adecuada.

Una persona infeliz muy difícilmente será capaz de querer como es debido a otra y eso es algo que debes tener claro.

Nuestra cabeza da vueltas alrededor de todo lo que podríamos perder en el caso de que esas dudas se confirmaran. ¡No podré tener hijos... y mi padre espera que tenga hijos! ¿Qué dirán las amigas de mi madre? ¡No puedo hacerles esto! Mataré a mis abuelos de un disgusto... Mis amigos me dejarán de lado. O, peor, la gente se reirá de mí. Tendré que esconderme siempre. Nuestra mente tiende a ponernos siempre en el peor de los casos, pero déjame decirte que, aunque en ese momento cueste mucho verlo, después la realidad nos da sorpresas positivas.

Tercera etapa: la tolerancia

Es en este momento cuando la idea de ser homosexual empieza a no sonar tan mal. Es común lanzarse de lleno a explorar la cultura *queer*. En mi caso, como ya he comentado, me dio por devorar todo el contenido que encontraba: pelis, series, documentales, música... También salir a bares y a discotecas de ambiente. Es, básicamente, empezar a descubrir una parte de ti que desconocías y con la que cada vez te sientes más cómodo.

Digo empezar porque, por supuesto, esto no pasa de la noche a la mañana, más bien al contrario. Cada pequeño avance parece un mundo. La sensación de soledad también comienza a mutar. Es posible que empieces a alejarte de tus amigos de toda la vida y busques relacionarte más con personas con las que tengas más en común. Es completamente normal, pero, otra vez, sentimientos encontrados. Echas de menos a tus amigos de siempre, aunque cada vez te apetece más compartir con personas con las que puedes ser completamente tú mismo.

El primer día de universidad se sentaron a mi lado un chico gay y una chica muy abierta de mente que pronto se convertirían en mis mejores amigos. Nunca en la vida hubiera podido imaginar que tener un amigo gay sería tan *cool* y que, aunque fuera a pequeñas dosis, estar en un espacio donde podía explorar el ser yo mismo me hacía sentirme inmensamente feliz.

Ver a mis amigos de siempre significaba mentir, fingir y, sobre todo, sentirme fatal.

Porque engañar, especialmente a la gente que te quiere, te hace sentir muy culpable. Fantaseaba con poder contarles a mis amigos cómo me sentía y a la vez estaba aterrorizado con la idea de perderlos.

Pero por fin empiezan a predominar los momentos en los que te sientes bien frente a los que te sientes mal. Y eso hace que esta sea una etapa en la que puedes quedarte hasta que te sientas preparado para pasar a la siguiente. Hay que hacer lo posible por disfrutar que ya aceptamos nuestros sentimientos, que tenemos una nueva vida y un grupo de amigos con los que podemos ser nosotros mismos. Nuestra autoestima comienza a reforzarse, pero no es suficiente; a pesar de eso, seguimos escondidos y eso no le sienta bien a nadie. Tener miedo de que te vean por la calle con tu nuevo grupo de amigos, que te encuentres a alguien que te reconozca en una discoteca de ambiente, que los rumores acaben por llegar... No es vida.

En mi caso, llegué a pensar, erróneamente, que ya había avanzado lo suficiente y que debía plantarme ahí. Pero llevar una doble vida, además de ser extremadamente difícil y agotador, no te hace verdaderamente feliz. La felicidad real llega cuando puedes reconciliar tus dos mundos y acercarte a las personas que más te quieren. Y para eso, aún falta un poquito más. Solo un poco.

Cuarta etapa: la aceptación

Esta es, para mí, una de las fases más bonitas. Llega el ser consciente de que, pese a lo que puedas perder, tu libertad y tu felicidad son más importantes. Y eso es muy poderoso. Lo que piensen los demás, con el tiempo y a medida que tu autoestima se refuerza, empieza a importarte menos. Has comenzado a descubrir lo bien que sienta ser libre y te das cuenta de que estás dispuestx a enfrentarte a lo que sea para que tu vida siga así. Los miedos siguen ahí, pero tú estás listx para enfrentarlos.

Enamorarse a veces acaba dándote el empujón que te hace falta para aceptarte, pero no debería de ser así. De hecho, no es para nada recomendable tomar decisiones por el simple hecho de estar enamoradx. Calma. A pesar de que lo que sientas sea increíble y tengas ganas de gritarlo a los cuatro vientos, lo más importante es estar segurx de que estás preparadx para hacerlo.

Salir del armario debe ser una decisión consciente, no un acto espontáneo fruto de un enamoramiento.

Pese a todos mis esfuerzos por huir del compromiso, acabé enamorándome de un chico hasta el punto de que era imposible negarlo... Todos los fines de semana, mi familia se iba y yo me quedaba con él en casa. Recuerdo que los domingos, mientras estábamos en el sofá viendo películas, fantaseaba con la idea de que algún día eso pudiera ser mi rutina diaria, mi vida. Sin mentiras. Salir del armario, vivir con tu pareja completamente libre. Una fantasía que duraba poco, puesto que mis padres estaban por volver y nos tocaba apresurarnos a dejar todo arreglado y salir de la casa.

Uno de esos domingos, decidí que no quería tener que esconderme más. No estaba listo para salir del armario, pero no quería vivir más tiempo escondido. Por aquel entonces, ya trabajaba y tenía dinero ahorrado. En menos de una semana encontré un piso en el corazón del barrio gay y les solté a mis padres que me mudaba la siguiente semana. No daban crédito y, por supuesto, no se lo esperaban. Recuerdo a mi madre despidiéndose con lágrimas en los ojos, con una mezcla de orgullo y preocupación en el rostro.

Unos días y unos cuantos muebles de Ikea después, tenía finalmente mi piso. Ya no tenía que esconderme de mis padres, no tenía que mentir, no tenía que correr los domingos por la tarde. ¿Fue una decisión meditada? No. ¿Fue una decisión acertada? Tampoco. Pocos meses después, acabé con el corazón roto y lejos de mis padres. Supongo que cuando estás a gusto con alguien, tener que esconderse da cada vez más pereza y al final te anima a querer mostrarte ante el mundo tal y como eres. Pero por experiencia te recomiendo que esperes a estar segurx de que no te estás precipitando y de que estás tomando la decisión correcta.

Penúltima etapa: el orgullo

Es el momento de acercar esos dos mundos que hemos creado y de poder presentarnos delante de las personas que más queremos tal y como somos en realidad. Y no lo contamos como algo malo. A menudo, para salir del armario sentamos a nuestros amigos como si fuéramos a darles una mala noticia y, claro, el drama está servido.

Pero lo queremos contar porque ya lejos de sentirnos mal por ser como somos nos empezamos a sentir bien. La comunidad debería convertirse en nuestra familia. Digo debería porque en muchos casos la discriminación y la exclusión pueden venir de la propia comunidad.

En la medida de lo posible hay que intentar construir nuestro nido. Nuestra red de apoyo.

En esta etapa es posible que el contacto con los heterosexuales se limite y nuestra vida se centre más en salir por sitios de ambiente donde tenemos que aprender a encontrar personas con las que tengamos cosas en común. Es una etapa muy emotiva, donde finalmente todos los sentimientos con los que hemos estado luchando empiezan a desaparecer para dejar paso a la felicidad, esperanza, libertad y a un bonito sentimiento de pertenencia. Sentir que encajas, que ya no estás solx, que estás rodeadx de gente que te comprende es algo que hace que todo por lo que hemos pasado valga la pena.

Muchas veces, nos unimos como comunidad para luchar contra un sentimiento de vulnerabilidad y para protegernos de la discriminación. A pesar de que estemos cómodxs con nuestra sexualidad al cien por cien, nuestra mente sigue a la defensiva cuando estamos en entornos heteronormativos, y eso es algo en lo que hay que trabajar. Muchas personas deciden no hacerlo y quedarse en esta etapa, en la que puedes ser perfectamente feliz. Pero los extremos nunca son buenos, así que nos queda una última fase...

Última etapa: la síntesis

Es completamente normal que prefieras tener amigxs con los que compartas la misma preferencia sexual o que te sientas más cómodx saliendo por discotecas de ambiente, pero con el tiempo entiendes que tu sexualidad es un elemento que va perdiendo importancia. Al final, lo que verdaderamente te une a las personas es cuánto tienes en común; y de esto va esta fase, de encontrar el equilibrio poniendo por delante aquello que más te interesa. Cuando puedes sentirte igual de cómodx en un ambiente hetero que en uno LGBTQ+, es señal de que has lidiado con todas las etapas y que el hecho de formar parte de la comunidad ya es solo una parte más de tu vida.

Es el momento en el que has terminado de lidiar con todos tus fantasmas, donde te presentas delante de todos sin miedo y donde quien no tenía lugar en tu vida ya no está.

Es probable que te hayas sentido identificadx en alguna de estas líneas, o que por el contrario hayas vivido estas etapas de manera distinta. En mi caso, las viví sin saberlo y estudiarlas, años después, me ha servido para aprender la importancia de que nos dediquemos tiempo. Mi consejo sería que intentaras identificar en cuál de las 6 etapas te encuentras ahora mismo, piensa si has dejado alguna tarea pendiente de las que ya has superado.

Es importante que seamos pacientes con nuestros procesos, que nos demos la oportunidad de experimentar, de no juzgar, de querernos.

Y, sobre todo, sé paciente con los demás. Es muy probable que tengas amigxs o conozcas a personas que se encuentren en una etapa distinta a la tuya. Y eso está bien. Pero debes comprender que es posible que esa persona no esté preparada para dar lo mismo que tú. Porque si algo tengo claro es que pasar por estas etapas y superarlas correctamente, va a tener un impacto directo sobre cómo nos sentimos y cómo interactuamos con lxs demás. Sentirnos a gusto en nuestra propia piel es básico para poder construir de la mano de otrxs. Espero que te sirva para entenderte y quererte, y para entender y querer a los demás. Porque como dice RuPaul: «*If you can›t love yourself how the hell are you going to love somebody else?*».

«Sí, ¿y

qué?»

Cómo cu

idarse

Cómo cuidarse

A ntes de avanzar más, debemos tocar este tema. Digo debemos porque si del sexo hetero todavía se habla poco en las escuelas, del sexo homosexual ya ni te cuento. Y desde luego tampoco es un tema que los padres tengan muy por la mano, aunque espero que eso llegue a cambiar algún día. La cuestión es que esto (la desinformación) nos deja a merced de lo que descubrimos experimentando, ya sea por internet o por nuestra cuenta. Cuando experimentamos, estamos precisamente buscando respuestas y es cuando tenemos más probabilidades de cometer errores.

A pesar de que estudié hasta los dieciséis años en una escuela concertada, laica y mixta, las clases de Educación Sexual no hacían referencia a la comunidad LGBTQ+. Se limitaban a un rápido repaso a los peligros de las enfermedades de transmisión sexual (ETS) y la importancia del uso del preservativo, sobre todo como método anticonceptivo.

Lejos de aclarar nuestras dudas, recibir información a medias nos deja más descolocados todavía. A eso se le llama «homofobia institucional» y es uno de los temas contra los que debemos luchar para conseguir cambios. En algunos centros, en ocasiones gracias a la iniciativa de algunos profesores, esto está mejorando, aunque tristemente en la gran mayoría se sigue pasando por este tema de puntillas y sin hacer mucho ruido. Como digo, es algo que debe cambiar. De hecho, tú puedes cambiarlo. Si crees que en la clase de Educación Sexual la comunidad LGBTQ+ no está bien representada, ¡pongámonos manos a la obra! Me encantaría que me contactaras a través de las redes, contándome tu caso y veamos de qué manera podemos hacer que eso cambie.

En torno al sexo circulan infinidad de rumores y prejuicios, y lo mejor para estar preparadx es tener la información de nuestro lado.

He trabajado en este capítulo de la mano de tres expertos en la materia. Por un lado, el doctor Javier Ruiz Romero, andrólogo y especialista en enfermedades de transmisión sexual. Por otro, Jose Ramos, presidente de la Impulse United, una ONG internacional que promueve las prácticas sexuales seguras y lucha contra el estigma del VIH, y David Stuart, activista internacional especialista en adicciones.

Internet en general y el porno en particular no son siempre una fuente fiable para aprender. En la red reina la desinformación y hay que tener mucho cuidado con la selección que hagamos.

En primer lugar, hablemos del porno. No hay nada malo en él, siempre que lo entiendas como algo ficticio que está completamente producido y en ningún caso sirve como educación sexual. Las relaciones en la vida

124

real no son como las que vemos en las películas. Ni las relaciones ni los actores. Idealizar cuerpos, tamaños o fantasías no es sano para ti ni para nadie.

Hay muchos tipos de cuerpos, formas y personas y lo más *sexi* que existe es tener seguridad en unx mismx.

Además, en las películas idealizan prácticas de riesgo y corremos el peligro de buscar imitarlo, algo que no debemos hacer bajo ningún concepto. Ir al gimnasio es estupendo, pero no olvides que la sociedad nos empuja a querer vernos de una forma determinada y es completamente irreal. Lo único que debes tener en cuenta es mantener una vida sana y una dieta equilibrada. Así que intenta no obsesionarte con los cánones de belleza que nos marca la sociedad, porque ni existen ni son reales.

A pesar de lo que nos digan algunas religiones, el sexo no es pecado, sino algo completamente natural, sano y muy placentero. Si eres nuevx en esto, no tengas ninguna prisa. Las cosas se dan para cada unx en el momento adecuado. Si, por el contrario, ya tienes experiencia, no está de más dar un repasito de vez en cuando a los temas que tratamos para tenerlos en mente. Como comentamos en el capítulo 3 de este libro, hay personas asexuales que sencillamente no sienten atracción sexual hacia nadie, ni de un género ni de otro, y eso no tiene nada de malo. O personas que, si bien no son asexuales, pueden pasar por épocas donde no les apetezca tener relaciones. Es perfectamente normal y si alguna vez te pasa, no debes preocuparte lo más mínimo.

En torno al sexo circulan infinidad de rumores y prejuicios, y lo mejor para estar preparadx es tener la informarión de nuestro lado.

Para lxs nuevxs, echando la vista atrás tengo algunas cosas que deciros. En primer lugar, la primera vez tendrá la importancia que tú le quieras dar.

Como tantas cosas, la pérdida de la virginidad está mitificada de una manera que causa verdaderos dolores de cabeza.

Posiblemente, la primera vez no sea, ni de lejos, tal y como la has imaginado. Como casi todo en esta vida, la práctica es lo que nos hace aprender y con el sexo no es distinto.

Como te decía, no hay que dejarse llevar por las presiones. Ni de tus amigxs, ni mucho menos de tu pareja. Lo más importante es que te sientas preparadx y que tengas claro que el consentimiento explícito es una condición indispensable para pasarlo bien. Eso es algo que tienes que grabarte a fuego en la mente, tanto para ti como para lxs demás.

La comunicación también es muy importante. No a todxs nos gusta lo mismo y no hay nada que te conecte más con otra persona que conocer sus gustos y expresar cómo te sientes en cada momento. No es no. Y un sí puede convertirse en un no en cualquier momento. Es perfectamente normal que cambies de idea y que dejes claro desde el principio que solo practicas sexo seguro o que no te sientes cómodx.

Esto es necesario remarcarlo porque, llegado el momento, no siempre es tan fácil decirlo como hacerlo. Son muchos los casos en los que, al estar con alguien que te gusta muchísimo, tiendes a ceder a lo que quiera sin pensar bien si realmente tú estás convencidx. Mantente fuerte en tus ideas y piensa que no vale la pena arriesgar tu salud por ninguna persona, por muy perfectx que te parezca en ese momento.

No es no. Y un sí puede convertirse en un un no en cualquier momento.

El sexo seguro es importante para protegernos de las enfermedades de transmisión sexual, llamadas comúnmente ETS. Técnicamente, son infecciones que se transmiten a través de fluidos corporales durante las relaciones sexuales. Siendo sexualmente activxs, existe el riesgo de que contraigamos alguna de estas enfermedades.

Las ETS son muy comunes, pero tenemos a nuestro alcance herramientas para protegernos.

Lo más importante es que estemos informadxs para prevenirlas; y, en el caso de que pase, no nos alarmemos, entendamos exactamente qué nos pasa y sepamos cómo actuar. Sin alterarnos, pero siendo responsables y dándoles la atención que se merecen. Y esto es tan importante tanto para hombres como para mujeres.

Según la Organización Mundial de la Salud (OMS),[6] cada mes más de un millón de personas contraen una enfermedad de transmisión sexual. Esto significa que anualmente se estima que unos 357 millones de personas contraen alguna de las infecciones de transmisión sexual (ETS) más comunes: clamidiasis, gonorrea, sífilis… Seguro que ya te han hablado de ellas, pero no está de más darles un repaso:

❑ **Gonorrea**: es una infección bacteriana que se transmite por vía sexual. Afecta especialmente a las personas entre veinte y treinta años y la mayoría de quienes la padecen no presentan síntomas. Se cura con antibióticos, pero estudios recientes demues-

---

6. Organización Mundial de la Salud (28 de febrero de 2019). Infecciones de transmisión sexual.

Las ETS son muy comunes, pero tenemos a nuestro alcance herramientas para protegernos.

tran que la bacteria está mutando y ya existen cepas resistentes a los fármacos. Se puede prevenir como la mayoría de las ETS: mediante prácticas sexuales seguras y con el uso sistemático de los preservativos.

❑ **Sífilis**: es una infección bacteriana que se transmite por vía sexual. Causa llagas genitales que no son dolorosas en una primera fase y síntomas parecidos a la gripe en una segunda. Muchas personas con sífilis no se dan cuenta de las llagas y se sienten bien, o creen que la segunda fase es una gripe común, pero pueden propagar la infección fácilmente a otras personas. Se cura de manera bastante sencilla a través de antibióticos, si bien puede causar daños permanentes si no se trata correctamente.

❑ **Clamidia**: es una infección bacteriana que se transmite por vía sexual. De hecho, es una de las ETS más comunes; la mayoría de las personas con clamidia no presenta síntomas. Se cura fácilmente con antibióticos. Puede contagiarse, aunque no haya eyaculación a través del sexo anal, vaginal u oral.

❑ **Herpes**: es un virus que provoca llagas en la boca y en los genitales. Se contagia por el contacto con áreas infectadas. El herpes no tiene cura, pero hay medicamentos que calman los síntomas y que disminuyen las posibilidades de contagiar el virus a otras personas. No conlleva problemas graves de salud, pero es especialmente molesto y doloroso.

❑ **Hepatitis**: es una infección que afecta el hígado. Es grave y no tiene cura, pero existe una vacuna para protegerse contra la hepatitis B, además del condón. Existen otros tipos de hepatitis, si bien la

B es la que se transmite principalmente en las relaciones sexuales. Si no estás vacunadx, vale la pena que consultes con tu médico.

❑ **VIH:** es el virus de inmunodeficiencia humana. Se contagia, entre otras, por vía sexual. No existe cura para el VIH, pero hay medicamentos que ayudan a que te mantengas saludable y eliminan las posibilidad de que contagies a otras personas. La mejor forma para prevenir contraerlo es utilizando preservativo y PREP (Profilaxis Preexposición).

¿Son todas igual de peligrosas? La verdad es que a todas les debemos tener el mismo respeto. La mayoría se pueden tratar con antibióticos, aunque los virus se están haciendo cada vez más resistentes al tratamiento.

Durante la década de los ochenta y los noventa el virus del VIH causó una epidemia que prácticamente borró del mapa a toda una generación. En aquellos años, que te diagnosticaran VIH era prácticamente una sentencia de muerte. Esta enfermedad se llevó por delante la vida de millones de personas con futuros brillantes; la comunidad LGBTQ+ vivía aterrorizada y triste por cada pérdida. Hoy en día, los avances científicos han permitido encontrar tratamientos que minimizan el impacto de esta enfermedad, pasando de ser una enfermedad mortal a una enfermedad crónica.

Por supuesto, es un avance muy positivo, aunque hay un pero. El hecho de que gracias al tratamiento ya no sea una enfermedad mortal sumado a que nuestras generaciones no sufrieron en primera persona la muerte de nuestrxs amigxs ha hecho que se pierda el miedo y el respeto a la enfermedad. Esto se traduce en un aumento de las infecciones en todo el mundo, lo cual es algo muy preocupante.

Con esto no os quiero asustar, al contrario. Es importante que entendamos que nadie es perfecto y no siempre hacemos lo correcto. Quien diga lo contrario miente. No hay que juzgar a los demás ni a ti mismx cuando pasa algún accidente.

La clave para no correr riesgos es no entrar en pánico y saber cómo proceder en cada caso.

La información es poder, y en este caso aprender cuáles son las mejores formas para protegernos y usarlas va a depender de nosotrxs. Tener toda la información nos permite relajarnos y poder disfrutar más.

Algo que nos debemos grabar a fuego en la mente es que los preservativos son la forma más efectiva para protegernos contra las ETS. Debemos utilizarlos siempre. Es responsabilidad tanto tuya como de tu pareja que tengáis siempre uno a mano. Es importante usar lubricante, a poder ser con base de agua, para minimizar la posibilidad de que el condón se rompa. Si eso ocurre o si con unas copas de más y en un arrebato de pasión se os ha «olvidado», tranquilx, no es el fin del mundo. Hay opciones para estas emergencias, pero es importante que te asegures de que sean solo eso, emergencias.

Cuando esto ocurra, tienes 72 horas para acercarte a urgencias del hospital más cercano y explicar lo ocurrido. No apures el tiempo, lo mejor es ir cuanto antes. Actualmente, la medicación que te darán se llama

La clave para no correr riesgos es no entrar en pánico y saber cómo proceder en cada caso.

comúnmente PEP (Profilaxis posexposición) y deberás tomarla durante los próximas 28 días. No es una experiencia agradable y, por supuesto, es mejor prevenir que curar.

Por otro lado, hay algo importante que debes saber. Los avances científicos no caminan solo hacia el descubrimiento de una cura para el VIH, sino también para la prevención.

El famoso PREP (Profilaxis Preexposición) es una pastilla que combinada con el preservativo y tomada diariamente bajo supervisión médica te protege del VIH. En muchos países no está aprobada, no está disponible o es carísima e inaccesible a la mayoría de la población, pero los gobiernos la van adoptando de manera progresiva. Tomar PREP significa estar protegido contra el VIH, pero no contra el resto de las ETS. Es por ese motivo que el preservativo debe usarse igualmente. Estate atento porque está muy de moda encontrar a personas que por el hecho de estar en PREP intentan convencerte de tener sexo sin protección. Pero, a pesar del mal uso que le da alguno, el PREP es un gran avance.

Es nuestra responsabilidad utilizar todo aquello que esté a nuestro alcance para protegernos.

De hecho, si todas las personas con VIH+ tomaran su medicación y todas las personas VIH- tomaran PREP, podríamos terminar erradicando el virus.

Y es que ahí va algo muy muy importante. Una persona VIH+ que toma su medicación tiene una carga viral indetectable y no puede transmitir la enfermedad. Hay un gran estigma alrededor de las personas VIH+ que les discrimina de manera muy injusta. La ignorancia y el desconocimiento sobre algunos temas nos lleva muchas veces a hacer daño a otras personas y es clave educar-

Es nuestra responsabilidad utilizar todo aquello que esté a nuestro alcance para protegernos.

nos en ese aspecto. No debes tener miedo de tener relaciones con una persona VIH+ que toma su medicación de manera regular, porque en ningún caso podría transmitirte el virus. De todos modos, siempre debes usar preservativo, por lo que no tienes nada de qué preocuparte. Esto es algo que todos debemos esforzarnos por entender y explicar a los demás. Repito, una persona VIH+ que toma su medicación tiene una carga viral indetectable y no puede transmitir la enfermedad.

El problema viene cuando hay personas que sin saberlo portan el virus y no toman ningún tipo de medicación. Esos casos son los más complicados porque es en esa situación cuando la carga viral es más alta y hay un riesgo muy alto de contagiar a otras personas. Es por ese motivo que es tan importante hacerse las pruebas cada tres meses. Lo mejor es saber cuanto antes qué te está ocurriendo para poder tomar medidas al respecto.

Si durante una prueba descubres que tienes alguna ETS, lo primero que debes hacer es tranquilizarte y entender que hay formas de curar o minimizar su impacto. Apóyate en algún/a amigx en quien confíes y en los profesionales del centro.

Hoy en día, la mayoría de las ETS se pueden tratar y gracias a los avances científicos es posible vivir una vida larga y feliz con VIH. Tomando la medicación tu calidad y esperanza de vida no se verán afectadas y podrás disfrutar sin preocuparte de poner en riesgo a tu pareja.

Tenemos que esforzarnos en poder hablar sin miedo del sexo en general y de las ETS en particular.

Hay una áurea de culpa y vergüenza alrededor del tema que complica que nos informemos y actuemos como es debido. Es una forma de activismo que me encantaría que entre todos potenciáramos. Tenía claro que quería hablar de esto, pero no estaba seguro de cómo enfocar el tema. A veces puede parecer un poco cortarollos, pero creo que es muy muy importante que tengamos estos conceptos claros para que podamos disfrutar sin preocuparnos más de la cuenta.

La homofobia internalizada, la baja autoestima y las historias personales complicadas pueden hacernos más vulnerables a las adicciones.

Debemos ser muy conscientes de ello y no dejar que nos ocurra. Demasiado a menudo, hay personas que se enganchan a las drogas por no saber decir que no cuando se las han ofrecido. Si en los ochenta y en los noventa sufrimos una epidemia de VIH, hoy nos enfrentamos a un peligro terrible que está causando estragos en nuestra comunidad.

La aparición del fenómeno «chemsex» en el que se consumen drogas en un contexto sexual tiene terriblemente enganchadas a muchas personas, que pueden perfectamente estar alejadas del prototipo de drogodependiente. Acaban por perderlo todo. En estas prácticas se consumen drogas como la mefedrona, la metanfetamina de cristal y el GHB (hidroxibutirato)/GBL (butirolactona), conocidas como tina y G. Estas drogas son muy peligrosas y dejan hasta 72 horas sin dormir a quien las consume. Todos los meses se cobran vidas de personas de nuestra comunidad. Es importante que estemos informados y atentos para evitar que ni nosotrxs ni nadie de nuestro entorno caiga en esa trampa.

Algo también muy importante a tener en cuenta para cuidarnos es cómo nos tratamos lxs unxs a lxs otrxs. Especialmente, en las *apps* de citas encontramos una deshumanización horrible. No puedes olvidar que con quien te estás escribiendo al otro de la pantalla es una persona. Una persona con su historia, sus sentimientos, sus vulnerabilidades. El anonimato y la frialdad de las *apps* te puede llevar a veces a contestar mal, sin pensar si estamos hiriendo a los demás. No somos conscientes del daño que podemos hacer y, sobre todo, del momento por el que están pasando lxs demás cuando lo hacemos.

Hay gustos para todo y no debemos faltar al respeto a lxs demás. El racismo sexual, la edad, la transfobia, la bifobia, la plumofobia, discriminación en contra de las personas con sobrepeso o las personas con VIH son tristemente el pan de cada día en este tipo de *apps*. Debemos trabajar para erradicarlo, sobre todo, porque es terrible que entre nosotrxs mismxs nos hagamos daño.

Revisa tus perfiles en las redes sociales y asegúrate que explicando tus preferencias no estás discriminando a nadie.

Si te escribe una persona, recuerda exactamente eso. No cuesta absolutamente nada ser amable. Si no estás interesadx, puedes explicarlo simple y educadamente, sin faltar al respeto.

Internet es un mundo donde habitan personas desequilibradas y con muy malas intenciones y es importante que tomes precauciones. Antes de quedar con alguien, asegúrate de que es la persona con la que realmente crees estar hablando. Pídele su teléfono y verifica en otras redes sociales que es real. No te dejes

La homofobia internalizada, la baja autoestima y las historias personales complicadas pueden hacernos más vulnerables a las adicciones.

engañar bajo excusas como la discreción o que están en el armario para comprobar que de verdad son ellxs. Sin verificar la identidad de la otra persona nunca aceptes una cita ni des datos personales, como tu dirección.

Del mismo modo, comparte siempre tu ubicación con algún/a amigx de confianza y explícale con quién has quedado o a quién has invitado. No olvides que estás metiendo a un/a completx desconocidx en casa o que te diriges a casa de una persona que no conoces absolutamente de nada. Como todo, tiene su parte positiva y negativa. Hay muchas parejas que se han conocido a través de las *apps* de citas, pero es importante ser precavidx para evitar malas experiencias.

No te preocupes demasiado si, por el momento, no logras encontrar pareja. Puede sonar a cliché, pero, de verdad, todo llega cuando debe hacerlo. La historia de la media naranja no es cierta. Todxs somos naranjas enteras y no necesitamos a nadie más que a nosotrxs mismxs para completarnos. Lo más importante es trabajar y centrarte en ser feliz, estar a gusto con unx mismx y ser amable con los demás. Esta es, sin duda, la mejor forma de encontrar a alguien con quien encajes de verdad.

En el otro extremo, hay que hablar de lo complicado que puede resultar encontrar pareja, especialmente en las grandes ciudades. Internet, las *apps* y la facilidad que hay hoy de conocer a nuevas personas hacen que estemos siempre esperando algo mejor, en lugar de cuando encontramos a alguien que nos gusta darle una oportunidad y esforzarnos por conocernos.

Las redes sociales son geniales, pero también pueden ser muy tóxicas. En general, la vida que se proyecta

Revisa tus perfiles en las redes sociales y asegúrate de que explicando tus preferencias no estás discriminando a nadie.

es ficticia y puede hacernos pensar que ni tenemos ni somos suficiente. Nos empeñamos en publicar únicamente los logros, sin dar visibilidad al trabajo, el esfuerzo o los días tristes. ¡Es normal tener un mal día! Y una mala semana, un mes, incluso un año. A todos nos ocurre, vivimos altibajos y lo importante es encontrar a esas personas en las que apoyarnos y huir de las personas y las costumbres tóxicas.

No dejes que la presión de las redes sociales te lleve a pensar que debes hacer más, tener más o avanzar más rápido en tu vida.

Intenta ser honestx y analiza cuál es tu relación con las redes sociales. Si te das cuenta de que en realidad te afectan más de lo que te aportan, tómate un descanso. De vez en cuando, es necesario para nuestra salud mental reconectar con la vida real y con lo que de verdad importa. Si estás pasando por un momento duro, busca apoyo en las personas en las que más confíes. No tengas miedo en pedir ayuda. Debemos estar cerca para cuidarnos entre todxs. Las personas LGBTQ+ pasamos por demasiadas situaciones, demasiado pronto. Los índices de suicidio en nuestra comunidad, especialmente entre jóvenes, son altísimos y es nuestro deber estar atentos a las personas que tenemos alrededor. Estar en el armario durante años, lidiando con autorrechazo, depresión y, en general, negatividad por parte de la sociedad tiene efectos terribles que pueden durar años y es necesario que nos cuidemos y nos dediquemos tiempo, amor y comprensión.

Cuidarse es importante, aunque, eso sí, procura hacerlo tanto por dentro como por fuera. Espero no haberte asustado mucho en este capítulo, pero creo que estar informadx es la clave para poder tomar decisiones.

No dejes que la presión de las redes sociales te lleve a pensar que debes hacer más, tener más o avanzar más rápido en tu vida.

No somos perfectxs y es posible que nos equivoquemos y tomemos decisiones erróneas. Si bien ser conscientes de ello hace que resulte mucho más fácil volver a retomar el buen camino. Sea como sea, cuentas con mi apoyo, el de tus amigxs y de organizaciones especializadas que están a tu disposición cuando las necesites.

«Debem
tener la
sexual
merec

s exigir

ducación

ue nos

mos.»

El arma
para la r

io es

opa

El armario es para la ropa

Definitivamente, la lucha más encarnizada es contra nosotrxs mismxs. Una vez superada esa lucha interior y cuando ya nos hemos empezado a aceptar tal y como somos, se abre un mundo infinito a explorar repleto de dudas por resolver. Y es que acabamos de resolver una y ya nos asalta otra. ¿Es verdaderamente importante salir del armario? ¿Estar en paz contigo mismx ya es suficiente o debemos también compartirlo con lxs demás? ¿Y a quién de lxs demás? ¿A tus amigxs más cercanxs? ¿A tu familia? ¿O deberías contárselo a todo el mundo?

En primer lugar, no te agobies. No hay ninguna prisa. De hecho, la premisa más importante es que sientas que realmente estás preparadx. Y eso puede llevarte algún tiempo.

Salir del armario es una experiencia increíble a la vez que aterradora. Es más, la simple idea de sentarte a hablar con tus padres o tus amigxs sobre el tema te genera un nudo en el estómago que es difícil de digerir.

Salir del armario es lo más parecido a la libertad que jamás he sentido.

Lo que lo hace tan difícil es que aún es un tema tabú. Estoy cansado de oír (y en algún momento yo era de esxs) que lo que yo haga en mi vida privada no incumbe a nadie. ¡Qué mentira! En realidad, para lxs heteros, el hecho de que les guste alguien, tengan pareja o estén casadxs, es algo que forma parte de su vida pública y siento que es muy injusto que para nosotrxs sea un tema tan complicado. Se da por hecho que somos heteros y nos toca aclarar que no es así.

Mientras no lo hacemos, estamos escondidxs, viviendo una vida que, en realidad, no es la nuestra. ¡Y qué complicado es! Porque ocultar algo tan importante como quién son tus amigxs o quién es la persona a la que quieres supone mucho esfuerzo y, sobre todo, muchas mentiras. Tener que esconderse y mentir por una cosa tan simple como querer a otra persona es algo por lo que nadie debería pasar. Mentir, por pequeñas que sean esas mentiras, ni está bien ni te hace sentir bien.

Entonces ¿por qué es importante salir del armario? Porque no hay nada más genial que sentirse libre. Uno de los miedos más grandes y de los motivos que te empujan a procrastinar tu salida del armario es, seguramente, el temor al rechazo.

Después de ganar la batalla de aceptarnos a nosotrxs mismxs, por fin empezamos a sentirnos cómodxs en nuestra piel y es posible que te apetezca disfrutar un poco de esta recién encontrada felicidad. Pero es ese miedo al rechazo lo que nos lleva a fantasear con la idea de quedarnos en el limbo.

Tanto es así que incluso durante mucho tiempo pensé que en el armario se estaba bastante calentito.

Si bien una vez que logré verme en el espejo y aceptarme, empecé a recuperar mi autoestima.

Recuerdo como si fuera ayer la primera vez que viéndome al espejo me dije: «Soy gay», y mi reflejo me devolvió una sonrisa en lugar de una lágrima.

Cuando empiezas a darte cuenta de que, lejos de estar solo como te sentías antes, ahora perteneces a una gran familia, todo cobra sentido.

Tanto tiempo dándole vueltas, sintiéndote culpable... ¡Y de repente te sientes bien! Sientes que encajas y tienes por descubrir una cultura fascinante, amigxs con los que sientes una conexión única. A pesar de que todxs seamos diferentes, tenemos algo muy especial en común que nos une. Pertenecemos a la misma comunidad y nos enfrentamos a retos y a enemigos muy similares. Este es el momento en el que es posible que empieces a distanciarte de tu vida tal y como la conocías hasta el momento. Lejos de sentirte aisladx, es una etapa de descubrimiento en la que empiezas a descifrar tu identidad y un sentimiento de pertenencia increíble. Descubrí nuevos grupos de música y nuevos ídolos a los que admirar. Y tal y como os explicaba, poco a poco, también cambié de amigos. Esto último no es algo que necesariamente deba pasar. De hecho, la realidad es que yo lo hice porque estaba asustado y tenía miedo de perderlos. Ahora, pasados los años, me hubiese encantado tener el valor de hablar con ellos y contarles cómo me sentía, pero por aquel entonces no estaba preparado. Sin lugar a duda, distanciarme de mis amigos fue una de las decisiones más dolorosas.

Salir del armario es lo más parecido a la libertad que jamás he sentido.

Cuando empecé la universidad, iba a clase de lunes a viernes en Barcelona, pero los fines de semana volvía a mi ciudad para verme con mis amigos de siempre. Progresivamente y a medida que lograba aceptarme, empecé a ir menos y menos. Trabajos de grupo, exámenes, entregas urgentes...

Me resultaba fácil encontrar excusas para poder quedarme en la ciudad en la que estaba estudiando también los fines de semana. No fue algo intencionado y mis amigos no entendían muy bien que no encontrara tiempo para volver a mi ciudad. Pero no podía evitarlo, cada vez me apetecía más pasar el tiempo en un lugar donde me sentía libre y podía ser yo mismo.

Mi grupo de amigos de toda la vida vivía a una hora en coche, y en Barcelona tenía todo un mundo por descubrir cada fin de semana. Así que, poco a poco empecé a distanciarme. Para ese entonces empezaba a tener a mi grupo de amigos gay, y la sensación era indescriptible. Empecé a valorar los detalles más pequeños. Tener a alguien con quien poder bromear, comentar lo guapo que te parece el protagonista de una serie, en definitiva, poder ser yo mismo.

Ese fue el inicio de una nueva vida, completamente independiente de la que había llevado hasta el momento. Sentía que encajaba. Pero pese a por fin empezar a sentirme feliz después de muchos años, no tenía ninguna prisa por gritarle al mundo mi orientación sexual. De hecho, por aquel entonces incluso tenía la idea de que lo que hacía en mi cama no era asunto de nadie. «Lo que yo haga en mi vida privada no le importa a nadie», pensaba. ¡Qué equivocado estaba! Tanto era así que creía haber encontrado la solución perfecta: llevar una doble vida. De esa manera podía ser yo mismo en la

Cuando empiezas a darte cuenta de que, lejos de estar solo como te sentías antes, ahora perteneces a una gran familia, todo cobra sentido.

universidad mientras «conservaba» a mis amigos y a mi familia. Suena increíble, ¿no? La verdad es que en ese momento me pareció muy buena idea, pero os aseguro que no lo fue.

Empezamos a salir por discotecas y bares de ambiente y cada vez que veía a alguien que se parecía a algún conocido de mi ciudad el corazón me rebotaba en el pecho. El mundo es un pañuelo y, por supuesto, era solo cuestión de tiempo que eso pasara. Hay personas infelices que en lugar de lidiar con sus propios problemas se divierten sacando del armario a todo el que pueden, sin importar las consecuencias. No todo el mundo es así. Hay quienes incluso sin conocerte de nada cuidan tu secreto esperando que seas tú mismx quien decide cuando está listx para dar el paso. A pesar de todos mis esfuerzos, finalmente los rumores en mi ciudad comenzaron a crecer cada vez más. Hasta terminar siendo un secreto a voces. Me dolía. Y mucho. Estaba asustado, me sentía acorralado y cada vez la presión era mayor. Durante mucho tiempo que me sacaran del armario de una patada era mi mayor temor.

Con el fin de esconderme, logré crear dos mundos perfectamente separados. Llegó a tal punto que decidí tener dos perfiles en Facebook. En uno, tenía a mi familia y amigos heteros. En el otro, todo mi círculo de amistades gais. Mi Facebook gay era Uri Pamies (LOL), no aparecía en las búsquedas y estaba protegido por todos los bloqueos de privacidad posibles. Era algo que me daba una falsa sensación de seguridad, y que pronto dejó paso otra vez al miedo y la frustración. Te cuento esto porque quiero que entiendas que llevar una doble vida no es más que un parche. Una solución a medias que

Durante mucho tiempo que me sacaran del armario de una patada era mi mayor temor.

lo único que conseguirá es hacerte sentir peor. Porque detrás de cada pequeña mentira se esconde un sentimiento de culpa que se va acumulando día tras día. Sentir que debemos engañar a las personas que más queremos por los motivos más banales... Escondemos a nuestrxs amigxs, dónde salimos de fiesta, qué planes hicimos el sábado por la noche...

De hecho, eran precisamente los lunes después del finde cuando peor lo pasaba. Tal vez esto te ocurra en clase o en el trabajo. Cuando estás en el armario, preguntas tan aparentemente inofensivas como «¿Qué hiciste este finde?» o «¿Con quién fuiste a ver la peli?» te pueden causar un microinfarto. Nuestros cerebros, perfectamente entrenados, encuentran siempre la respuesta correcta para salir airosxs con evasivas y medias verdades. Es increíble cómo logramos desarrollar una infalible habilidad para inventar excusas que al mismo tiempo te van atrapando.

La mayor recompensa al salir del armario es poder ser quien realmente eres y mostrarte al mundo sin la necesidad de esconderte ni disculparte ante nadie.

Además, al salir del armario podrás abandonar por fin ese mecanismo generador de mentiras heteronormativas que tanta energía consume.

Entonces ¿cuál sería la manera perfecta de salir del armario? La verdad es que todas son igual de válidas. Lo que importa es el resultado final, que es que por fin eres libre.

Antes de entrar en la materia, quiero compartir mi historia. Mi salida del armario no fue valiente. No fue un acto premeditado. No pasó como me la había imaginado. Fue totalmente accidental y en un principio la viví como algo muy dramático.

La mayor recompensa al salir del armario es poder ser quien realmente eres y mostrarte al mundo sin la necesidad de esconderte ni disculparte ante nadie.

Cometí el error de dejar mi Facebook gay abierto en el ordenador de casa. Por aquel entonces, mi madre, preocupada por mis cada vez más frecuentes salidas nocturnas, buscaba respuestas. Y las encontró. ¡Madre mía si las encontró! En ese momento, estaba en plena efervescencia de descubrimientos. No tenía claro cómo definirme y tampoco quería. Estaba experimentando, conociendo gente nueva y, lo más importante, conociéndome a mí mismo. Como te contaba, mi madre se encontró en la pantalla un mensaje cuyo contenido era cuanto menos revelador. Lo que leyó la pilló completamente desprevenida y la dejó en estado de *shock*. En aquel momento, decidió guardar el mensaje y hacer como si nada.

Recuerdo perfectamente el instante en que tuve el presentimiento de que me había dejado la cuenta abierta. El corazón me dio un vuelco y hasta se lo comenté a mis amigos, que me dijeron que ni me preocupara, que seguro no pasaba nada. Pero sí pasó.

Durante los siguientes días, el ambiente en casa se podía cortar con un cuchillo. Tenía la sensación de que algo ocurría. Sabía que habían descubierto algo, pero no tenía la certeza de qué era. Hasta que finalmente ocurrió. Ese domingo por la noche, al llegar de pasar el día con mis amigos, me fui directo (como de costumbre) al ordenador. Noté una sensación extraña, como si tuviera una mirada clavada en el cogote. Efectivamente, mi padre llevaba un buen rato observándome con cara de circunstancias. Me preguntó que dónde había estado y con quién, cosa que raramente me preguntaba. Finalmente, después del extraño interrogatorio, me soltó: «No te vayas a dormir muy tarde que mañana temprano vienes a desayunar conmigo». ¿Dormir tarde? ¡No pegué ojo en toda la noche! Con la cabeza en la almohada y la mirada pegada al techo, repasaba mentalmente todas y cada una de las conversaciones (y mentiras piadosas) que les había contado en los últimos días. ¿Qué podría ser?

Seguía despierto cuando sonó el despertador, me metí en la ducha y salimos de casa. Me arrastré hasta el bar como si fuera camino al matadero. Y, en efecto, todos mis temores se confirmaron. Mi padre me contó que mi madre había leído unas conversaciones (¡qué vergüenza!) en las que se detallaban mis aventuras. No sabía ni dónde meterme ni cómo reaccionar, pero mi instinto me llevó a enfadarme. ¡Y mucho! Sentía que mi privacidad había sido invadida. Que habían entrado a mi armario y me estaban obligando a salir.

Pensándolo ahora, creo que mis padres lo manejaron bastante bien, aunque en ese momento no me lo pareció. Me dijeron que me apoyaban y que habían pedido cita con un psicólogo que me ayudaría a entenderme mejor. Me sentó como una patada y me encendí aún más. Aguantándome las ganas de echarme a llorar, me levanté y respondí dramático: «En primer lugar, me parece increíble que hayáis violado mi privacidad, ya nunca más confiaré en vosotros. Y, en segundo lugar, no necesito a un psicólogo. Esto es nuevo para vosotros, pero no para mí. ¡Los que deberíais ir sois vosotros!». Estaba enfadado, sí, pero totalmente equivocado.

Acto seguido, salí corriendo del bar y tan pronto crucé la esquina, rompí a llorar. Empecé a caminar sin rumbo, llorando a lágrima tendida a plena luz del día por las calles de Barcelona. ¿Así o más dramático? Finalmente, se me ocurrió poner rumbo hacia la casa de mi mejor amigo de la uni. Él también era gay y sentía que su piso era una zona segura.

Allí, en una maratón de series, comida a domicilio y entre llanto y llanto, me escondí durante unos días. Me sentía enfadado y triste al mismo tiempo. Avergonzado, pero también aliviado. Asustado y esperanzado. Todo a la vez. Durante cuatro días estuve escondido, desconectado del mundo. Por supuesto, mis padres estaban razonablemente preocupados. Me había ido de casa con lo puesto y no tenían ni idea de dónde estaba ni de si estaba bien. Me sentía fatal por preocuparlos, pero la verdad es que no tenía ni idea de cómo volver a casa. Al final, después de escribir y borrar un mensaje mil veces, me decidí. Les dije que volvía a casa con una condición: que no se volviera a tocar el tema hasta que yo estuviera preparado. Y así fue. No volvimos a hablar de ello hasta que al cabo de unos años me sentí preparado.

Puede sonar algo fuerte, pero en ese momento aún no estaba listo para afrontar nada. Estaba experimentando, dejándome llevar. No entendía muy bien qué significaba, solo que estaba bien así.

Sin quererlo, mis padres me asignaron una etiqueta que yo aún no estaba seguro de querer llevar.

Esto es algo que puede ocurrir, cuando, en lugar de salir del armario de forma consciente, preparada y voluntaria, te encuentras envueltx en situaciones accidentales que raramente tienen solución. Una página web curiosa en el historial, la escucha accidental de una conversación, comentarios y mensajes inoportunos en tus redes sociales o hasta incursiones a tu cuarto sin previo aviso. Queridxs amigxs, esta es probablemente la forma más incómoda, pero también la más rápida. Siempre hay que ver el lado positivo de la cosas. Viéndolo así, después de recuperarte del ataque de vergüenza, lo mejor es esperar y encontrar el momento adecuado para airearlo todo. Con el tiempo no quedará más que como una anécdota.

A partir de lo que viví (que como veis estuvo lejos de ser la salida del armario ideal) os puedo afirmar una cosa: la forma perfecta de hacerlo no existe. Lo que sí os puedo dar son algunos consejos que os podrían servir, siempre teniendo en cuenta que la mejor forma de hacerlo será cualquiera que finalmente escojáis.

1. Analiza tu entorno

Hay un factor clave y fundamental: entender si salir del armario es seguro para ti. A algunxs de vosotrxs es posible que algo así ni se os haya pasado por la cabeza, pero para muchxs es tristemente una realidad. Mientras escribo este libro, ser homosexual es delito en más de 70 países y, a pesar de que no vivas en uno de ellos, es posible que tu entorno sea hostil.

Cuando me preguntan, generalmente recomiendo salir del armario, pero hay excepciones. Puedes percibirlo en pequeños detalles, aunque seguramente si cada vez que sale un personaje LGBTQ+ en la televisión se hacen comentarios negativos o incluso se cambia de canal, salir del armario no sea la mejor idea. Si vives en un entorno donde al hacerlo puedes correr peligro, debes armarte de fuerza y paciencia y esperar la oportunidad de poder construir tu camino. Y mientras esperas, es importante intentar llenar tu vida de tanta positividad como sea posible. Es primordial que entiendas que lo que estás viviendo es solo eso, algo que te ha tocado vivir ahora, pero que mejorará pronto. Los momentos duros nos forman como personas y nos enseñan lecciones muy valiosas. Si las cosas en casa son difíciles, haz lo posible para crear tu propio microentorno. Escucha música alegre, busca podcasts que te interesen, ve series, documentales, videos en YouTube, lee libros, estudia... Llena tu tiempo de cosas positivas, esfuérzate en formarte y ten por seguro de que todo mejorará. Hay una comunidad entera que está aquí para ayudarte.

Si no vives en un entorno donde seas vulnerable de vivir discriminación, hay algo muy importante que debes saber: eres un privilegiado.

Sin quererlo, mis padres me asignaron una etiqueta que yo aún no estaba seguro de querer llevar.

El privilegio es algo que a menudo pasamos por alto, pero sobre lo que debemos hablar. Como hombre gay, cisgénero que ha crecido en entornos generalmente libres de discriminación, mi experiencia personal y mi realidad vienen marcadas por el privilegio. Tomar conciencia de ello es clave para poder empatizar con nuestros hermanxs de la comunidad LGBTQ+ que no han corrido con la misma suerte. Debemos estar agradecidxs, entender que eso ha sido posible gracias a la lucha de otras personas y usar nuestra posición para ayudar a los demás. No he vivido en mis carnes la discriminación y el *bullying*, pero eso no me impide sentirlo cuando les ocurre a lxs demás.

Si vives en una situación de privilegio, es tu obligación unirte al compromiso de ayudar a lxs que no han tenido tu suerte. Si conoces a alguien que esté en una situación de discriminación y no sabes cómo ayudar, muchas veces basta con una conversación. Una palabra amable, un consejo, un hombro en el que apoyarse. Estamos aquí para ayudarnos lxs unxs a lxs otrxs, hemos pasado por los mismos procesos y nos comprendemos mucho más de lo que puedas pensar.

2. Avanza paso a paso

De repente, llega el momento en el que te das cuenta de que sentirte a gusto contigo mismo ya no es suficiente. Eres consciente de que se malgasta demasiada energía en esconderse. Que es un peso enorme sobre nuestros hombros. Que mentir constantemente te hace sentir mal. Y, además, hay situaciones en las que necesitas el apoyo de la gente a la que más quieres.

¿Qué pasa cuando estando en el armario alguien te rompe el corazón? Como si no fuera suficientemente duro, imagínate pasarlo solx. ¿A quién acudes? Es por eso que una buena forma de salir del armario es empezar eligiendo a alguien con quien tengas mucha confianza. ¿Da miedo? Sí. ¿Vale la pena? Por supuesto.

Apoyarte en alguien LGBTQ+ que ya haya pasado por este proceso puede ser de gran ayuda. Pero también puede ser algún amigo o amiga, algunxs de tus hermanxs... Debe ser alguien que sepa guardar un secreto. Que se lo cuentes a esa persona no significa que estés listx para que todo el mundo lo sepa. Pero le has escogido a él o ella para compartirlo y eso es algo muy importante.

En mi caso, decidí empezar poco a poco. Primero, con mi mejor amigo gay. Después, con mi grupo de amigxs de la universidad. Lxs conocía desde hacía relativamente poco, por lo que me resultó sorprendentemente fácil. Tras contárselo finalmente a mi familia y amigos cercanos, ya no había vuelta atrás. Decidí hacer, entre copas, una miniceremonia para eliminar mi perfil gay para siempre y empezar a vivir mi vida. Libre.

A cada paso que daba, me sentía más fuerte. Más seguro de mí mismo. Con más ganas de dejar las mentiras atrás.

Da pasos firmes, seguros, sin dejar de estar muy pendiente de cómo reacciona tu entorno y, lo más importante, de cómo te sientes tú.

3. Prepárate y practica

Seguramente, ya has imaginado en tu cabeza las mil y una situaciones, momentos y reacciones posibles de salir del armario. Yo lo hice. Aunque te consideres una persona espontánea, es algo para lo que siempre va bien estar preparadx. Sobre todo, delante de tus padres. Es posible que ya se lo imaginen o que, por el contrario, les agarre completamente desprevenidos. Puede ser que reaccionen de una manera comprensiva y afectuosa, a pesar de que esté siendo duro para ellos. O que se queden bloqueados y no sepan ni qué decir. Que se pongan a llorar, se sientan culpables, se enfaden... No te preocupes, porque pase lo que pase lo más importante es que estás haciendo lo correcto. Estás eligiendo tu felicidad por encima del qué dirán. Estás tomando conciencia de lo mucho que vales y, aunque el momento sea difícil, ya tienes claro que no hay nada como sentirte libre.

Ten por seguro que ni es nada malo ni debes avergonzarte de ello. No estás pidiendo nada especial, más allá de su comprensión y apoyo. Sigues y seguirás siendo la misma persona y tu vida va a continuar exactamente igual.

Tendemos a ponernos en el peor de los casos, pero la verdad es que muchas veces nos llevamos sorpresas muy agradables. Aunque cuando no es así, va a dolernos. Vamos a sentirnos tristes y desconcertados, porque quienes nos están rechazando son aquellas personas a las que queremos. Al contarlo en casa, asegúrate de tener un plan B por si las cosas no salen como esperabas. Algún/a amigx, un familiar con el que tengas confianza... Un sitio donde puedas ir hasta que se calmen las cosas. Pero no nos pongamos negativxs, no tiene por qué darse el caso, si bien siempre es mejor estar preparadxs para lo que sea.

Lo que sí es importante es cómo lo cuentas y dónde. Generalmente, unx se imagina este momento como algo negativo, triste e incluso doloroso, tanto para quien comparte su historia como para quien la escucha. A juzgar por las reacciones, a veces incluso puede parecer que se acaba de dar una mala noticia, una enfermedad terminal o cualquier desgracia que determinará el resto de tus días. Estamos tan nerviosxs que cuando por fin nos armamos de valor y conseguimos articular palabra, los ojos se nos inundan automáticamente de lágrimas.

Por supuesto, nuestro interlocutor interpreta inmediatamente que le vamos a dar una noticia terrible. Si, además, lo acompañamos de un «siéntate, que tenemos que hablar», el drama está servido. Nada más lejos de la realidad. Lo que estamos a punto de contar es algo que marcará un antes y un después en nuestra vidas. Así que cuanto más natural te salga, mejor. Aunque tengas que hacer un esfuerzo.

Yo lo intenté todo. A mis amigos de toda la vida se lo solté como algo obvio. Después de mucho tiempo distanciados y ya con mi Facebook gay fusionado, decidí darlo por hecho. En una cena, mientras hablaba les dije: «El otro día estaba cenando con mi novio y...». Inmediatamente, los ojos de todos como platos. «¡¿Novio?!» «¡Sí! ¿No lo sabíais? ¡Llevamos 6 meses juntos!» Y continué la historia sin darle más importancia. Obviamente, luego llegaron las mil y una preguntas, pero lo peor ya había pasado y acabamos brindando para celebrar que por fin me había atrevido a sincerarme con ellos.

A mi mejor amigo se lo conté mientras iba de paquete en la moto. Él iba conduciendo y aproveché que el semáforo estaba a punto de ponerse en verde para soltárselo. Cerré los ojos y aguanté la respiración hasta que llegamos al siguiente semáforo. Se dio la vuelta y con una sonrisa me dio un golpe amistoso en el casco, me dijo que estaba completamente bien y me preguntó que por qué no se lo había querido contar antes. A pesar de que me funcionó, esta sí que no os la recomiendo. Creedme, los segundos entre semáforo y semáforo fueron los más largos de mi vida y en el caso de que alguien se lo tomara mal, no es plan de crear ningún accidente.

Para los «cómodxs» que piensen que escudarse detrás de una pantalla es la solución, tampoco lo recomiendo. Pasar un mal rato, solo, al otro lado del teléfono no es plato de buen gusto.

Pese a que dé mucho miedo y requiera de mucha valentía, no hay nada como hablar algo en persona, viéndose a los ojos y estando cerca para ese abrazo que te aseguro que en algún momento vas a necesitar. Es posible que ese abrazo no llegue... Debemos ser fuertes y para eso también tenemos que estar mentalizados.

En definitiva, lo importante es intentar dejar claro que no es algo nuevo. No es una etapa que se te pasará. Tampoco alguien que te haya lavado el cerebro, ni malas compañías. Al contrario. Hay que confirmar que hace mucho tiempo que te sientes así y que has luchado mucho para sentirte bien. Que quieres poder ser sincerx y compartir con las personas a las que más quieres que por fin eres feliz.

4. Sé paciente y comprensivx pero firme y convencidx

En el caso de que respondan mal, la clave es ser paciente. Muéstrate segurx de ti mismx y convencidx de que es una decisión muy meditada y que no hay vuelta atrás. Salir del armario no es cuestión de un día, ni dos ni tres.

El proceso puede durar meses o incluso años. De hecho, es posible que algunas situaciones te devuelvan, sin que lo quieras, al armario. Me pasa muy a menudo con los taxistas. No sé cómo lo hago, pero es responder que soy de Barcelona y automáticamente me veo atrapado en una conversación sobre el Barça y lo guapas que son las chicas en España. Sé que lo hacen sin maldad y con la intención de dar conversación, pero asumir la identidad sexual de una persona puede crear situaciones incómodas. Al principio, creía que tal vez no valía la pena salir del armario por 5 minutos de trayecto. Pero después entendí que cualquier oportunidad para visibilizar a la comunidad LGBTQ+ puede ser beneficiosa y crear un impacto positivo. Las reacciones no siempre son buenas. He tenido que aguantar muecas de asco y algún que otro silencio incómodo, pero estoy convencido de que vale la pena. Si vives en un entorno homófobo, ni se te pase por la cabeza ponerte en riesgo. Tu seguridad siempre va por delante del activismo.

Tu entorno, a su manera, también tiene que «salir del armario» y es nuestro deber dejarles espacio y tiempo.

No podemos esperar que algo que nos ha costado tanto tiempo y esfuerzo de asimilar sea recibido positivamente tan pronto lo contamos. A veces, algunas personas necesitan tiempo y eso está bien. Ten tacto y espera a que sean ellos los que vuelvan a sacar el tema cuando estén preparados. Muchas veces las reacciones negativas no tienen un fondo malo, sino que nacen de la preocupación y del amor que tienen por ti. Al recibir una noticia de estas características, todos los clichés habidos y por haber pasean por sus cabezas sin descanso y pensando siempre lo peor. Dales espacio para que lo procesen y prepárate para ayudarles a desmontar todos los prejuicios, pregunta tras pregunta.

Si eres hijx únicx, seguramente te va a tocar tener una dosis extra de paciencia. Cuando hay hermanxs correteando por la casa, los padres tienen muchas otras ocupaciones y es mucho más difícil que te conviertas en el centro de atención. Después de hacerles entender que el mundo no se colapsará si tu apellido no continúa, se darán cuenta de que eres exactamente la misma persona que antes de contárselo y de que absolutamente nada ha cambiado.

Por otro lado, firmx y convencidx. Con eso quiero decir que, a pesar de entender y respetar su proceso, hay líneas que no debemos permitir cruzar. Algunos padres erróneamente estarán más preocupados por el qué dirán que por la felicidad de sus hijxs. Otros ignorarán lo que les has contado y harán como si no hubiera pasado. A veces podrán pedirte que evites contárselo a los demás bajo pretextos del tipo «matarías a los abuelos de un disgusto» o «¿qué van a pensar de nosotros?». No lo permitas. Sí está bien que les dejes tiempo para que sean ellos los que decidan cómo y cuándo «salir de su armario», pero márcate un tiempo prudente y asegúrate de que acaban haciéndolo. Al final tú eres el/la dueñx de tu vida y no has estado tanto tiempo en el armario para que ahora alguien te vuelva a meter en otro.

Si, finalmente, ves que por mucha paciencia, amor y comprensión que les dediques no van a ceder, llegará la hora de tomar una decisión.

Hasta el momento habéis navegado en el mismo barco, pero si tu familia no te acepta tal y como eres, tocará construir otro barco y emprender tu propio viaje.

Es duro, pero es probable que en algún punto del camino comprendan su error y den la vuelta para volver a buscarte.

Tanto nuestra familia de sangre como aquella que hemos elegido son una parte esencial de nuestras vidas. Cuando por fin decidas empezar a navegar por tu cuenta, verás que todo aquel que elija compartir contigo siempre será bienvenidx.

Sea como sea, el verdadero sentido de salir del armario no es otro que sentir por fin la libertad de ser quienes somos. Una libertad que, en cierto modo, por ser LGBTQ+ perdemos en algún punto del camino. Lo perdemos o nos es arrebatado debido a los prejuicios y las construcciones sociales. Nos vemos obligadxs a justificar nuestra existencia. A recuperar algo que nunca deberíamos haber perdido: la capacidad de mostrarnos al mundo tal y como somos. Salir a la calle todos los días orgullosxs de ser quienes somos transmite una fuerza contagiosa que sirve de ejemplo a todxs aquellxs que aún están en sus armarios buscando respuestas y el valor necesario para empezar a trazar su propio camino.

«El a[r]
demasiad[o]
para estar
en un a

nor es

increíble

escondido

mario.»

Entendi
entende

CAPÍTULO 8

ndo a

Entendiendo a entender

Del mismo modo que nosotros, también a nuestro entorno cercano le tocará vivir un proceso bastante similar. Es posible que les lleve algún tiempo entenderlo y aceptarlo. Eso no significa que no nos quieran, que sean homofóbicos o estrechos de miras. A nosotros nos ha costado un tiempo (al menos, mi caso fue bastante así) y no podemos esperar que ellos lo asimilen a la velocidad del rayo. Es normal que estemos impacientes. Después de tantos años de oscuridad, cuando por fin estamos listos para mostrarnos al mundo tal y como somos, nos entran las prisas. Es lógico. Pero debemos armarnos de paciencia, ser comprensivos y dar tiempo a esas personas a las que queremos.

Este capítulo es un poco distinto. No es para ti. O quizás sí. De hecho, lo he escrito para que puedas compartirlo con tus padres, algún/a amigx o en definitiva cualquiera a quien creas que le pueda ir bien leerlo. Pero también lo he escrito para ti. Para que puedas hacer el ejercicio de ponerte en los zapatos del otro, de entender lo que pueden estar viviendo o pensando aquellas personas a las que quieres y que te preocupa tanto perder. Sugiérelo con cariño y no te desanimes si no se lanzan inmediatamente a leerlo. Cuando estén listos y sea el momento, lo harán.

Sea cual sea el motivo por el cual este libro ha caído en tus manos, te doy la bienvenida. Me gusta mucho ver que estás haciendo un esfuerzo. Encontrar ganas de aprender más sobre la comunidad LGBTQ+ es el primer paso, aunque entiendo que pueda resultar difícil.

Seguramente, estás aquí por un/a amigx o cualquier persona cercana a la que quieres mucho. Si bien este capítulo está enfocado sobre todo en los padres, puede servir de ayuda a cualquiera que busque aprender la mejor forma de estar ahí para quien lo necesita. Es posible que simplemente se trate de una intuición y quieras informarte para estar preparadx en el caso de que así sea. Igual te has enterado por accidente y quieras entender mejor cómo lidiar con la situación. O, mejor aún, que esta persona haya confiado en ti para compartir algo tan importante. Algo que durante mucho tiempo ha tenido que esconder y que tras mucho esfuerzo, ahora, se siente preparadx para afrontar. Si te ha cogido por sorpresa, crees que te vendría bien saber más del tema y te gustaría estar preparadx para saber qué decir y qué no, estás en el lugar correcto.

Seguramente, esto signifique un antes y un después en vuestra relación. Cuando alguien decide abrirse ante ti y mostrarse tal y como es, te está dando la oportunidad perfecta para crear un vínculo que durará para siempre.

Todas las connotaciones negativas acerca de la comunidad LGBTQ+ forman parte de nuestro imaginario social, pues nos han enseñado que ser homosexual está mal.

La homofobia sigue muy presente en todos los ámbitos de la sociedad. Crecer rodeados de comentarios negativos tiene un impacto directo sobre la autoestima de las personas y termina en homofobia interiorizada. Es, sin duda, uno de los peores enemigos a la hora de conseguir vivir una vida feliz y sin ningún tipo de vergüenza.

Vivimos en un mundo basado en estereotipos, miedos y prejuicios sobre la comunidad LGBTQ+.

Estos nos dificultan una tarea muy simple: entender que enamorarse de una persona u otra no cambia absolutamente nada. Seguimos siendo exactamente lxs mismxs. Con nuestras virtudes y nuestros defectos. Si tienes sentimientos encontrados, no te preocupes. Es parte del proceso y todos, de una forma u otra, hemos pasado por él. Te tocará desaprender. Hacer un esfuerzo para entender la situación. Y, sobre todo, tener claro que ser diferente no es malo.

Hoy en día la diversidad por fin empieza a ser celebrada y no hay marcha atrás.

Hemos comprobado que lo que hace o dice la mayoría no siempre es lo mejor. Hay muchas formas de entender la vida, todas son igual de válidas y lo más importante es la felicidad de cada unx y el respeto a lxs demás.

Aquellxs que habéis nacido en generaciones anteriores os habréis dado cuenta a lo largo de los años de que los estereotipos, miedos y prejuicios no han cam-

Todas las connotaciones negativas acerca de la comunidad LGBTQ+ forman parte de nuestro imaginario social, pues nos han enseñado que ser homosexual está mal.

biado. Pero en cambio la sociedad sí lo ha hecho. No es que ahora esté de moda salir del armario, pues en realidad la comunidad LGBTQ+ ha existido siempre, también en tu época. La única diferencia es que antes salir del armario, sintiéndote a gusto en tu propia piel, no era posible. Por entonces los armarios eran más grandes y las personas más infelices. Los rumores, prejuicios y la discriminación asustaban tanto que para muchxs era preferible vivir una vida de engaño, a pesar de que eso significara tener un matrimonio infeliz y vivir toda la vida en las sombras. Haz el ejercicio de intentar recordar a cuántas personas conociste personalmente en tu juventud que estuvieran públicamente fuera del armario. Con total seguridad, estarían rodeadxs de rumores, murmullos, cotilleos y su vida era más complicada que la de lxs demás.

Éramos vistos como bichos raros, ovejas descarriadas e incluso algo de lo que avergonzarse en muchas familias. El éxito laboral se veía como algo inalcanzable. Incluso las figuras públicas se veían obligadas a encubrir su vida personal. Y, por supuesto, los planes de formar una familia con hijos prácticamente ni se llegaban a plantear. Creciendo en esa época y bajo esas circunstancias, es posible que todos aquellos prejuicios y pensamientos negativos hayan permeado en tu subconsciente.

Por suerte, hoy la realidad es otra. Gracias a los avances en derechos LGBTQ+ las cosas han cambiado. Se ha declarado la guerra a la discriminación, y conocemos incontables ejemplos de personas de la comunidad que se han convertido en modelos a seguir, brillantes y exitosos.

Los personajes LGBTQ+ en series, películas y medios de comunicación nos permiten tener referentes positivos en nuestras vidas.

Hoy en día la diversidad por fin empieza a ser celebrada y no hay marcha atrás.

Las familias LGBTQ+ ya son una parte importante de la sociedad. Lejos de ser algo clandestino, la comunidad tiene historia e identidad propias. Algo que se puede defender con orgullo y con un bonito sentimiento de pertenencia.

De hecho, en muchas ocasiones creemos que las personas mayores tendrán más dificultades para aceptar la comunidad LGBTQ+. La diversidad, la inclusión y la defensa de los derechos humanos no tiene que ver con la edad, sino con la apertura de mente y los prejuicios fruto de la educación. Hay personas mayores que son grandes aliadas de la comunidad y personas jóvenes que tristemente, cegadas por la ignorancia, discriminan lo distinto.

Vivimos en un mundo de cambio efervescente. Es importante que nos adaptemos a los cambios de la sociedad y abramos nuestra mente, entendiendo que el mundo en el que crecimos no es el mundo en el que estamos hoy. Los padres, como tal, llevan en su ADN el instinto de preocuparse por sus hijxs, y por ello en muchos momentos la intranquilidad sale a flote. Todos los prejuicios y miedos aprendidos invaden la mente, evitando que se pueda pensar con claridad.

No te preocupes en exceso por las enfermedades, y combate el miedo con información. Hoy en día, además del preservativo existen más formas de protegerse. Pon todos los medios en tener toda la información al respecto y estate preparado para compartirla. De hacer eso, habrás cumplido con tu trabajo de proteger a quien más quieres.

¿Una persona LGBTQ+ se encontrará con un camino más difícil? Sí. ¿Será tan complicado como el que recuerdan tus miedos? No. Ten esto muy presente a la

La comunidad tiene historia e identidad propias. Algo que se puede defender con orgullo y con un bonito sentimiento de pertenencia.

hora de manejar tus sentimientos. Intenta librarte de tus preocupaciones entendiendo que está en tus manos hacer de su realidad un camino más llevadero.

Otro tema que tienes que tener en cuenta es que no siempre son ellxs lxs que nos lo cuentan, pues los accidentes pasan. A mí me ocurrió. Un mensaje que no deberías haber leído, una página web sospechosa en el explorador, una puerta abierta sin previo aviso… Si no han dado el paso, es porque seguramente aún no estén listos para contarlo. Debes respetar eso. Deja pasar tiempo, no fuerces la situación y limítate a decir que si algún día quieren hablar de ello, estás ahí para lo que necesiten.

Si han sido ellxs lxs que deciden contarlo, es porque ya han pasado por un duro y largo periodo en el que probablemente se sentían muy aisladxs. Tener que esconder algo tan importante a las personas a las que más quieres duele. Duele tener que alejarse de los tuyos únicamente por el miedo a ser rechazado. Así que lo primero y más importante es mantener la mente abierta. Haz un esfuerzo para escuchar tranquilamente, ser comprensivo y transmitir dicha comprensión. Debes tener en mente dos cosas: lo mucho que le quieres y el esfuerzo que debe estar haciendo al contarte su secreto.

Dicho esto, también tenemos que hablar de ti. Esta conversación significa el final de un proceso para quien sale del armario, pero el principio de otro que te concierne a ti. Puede ser igual de duro y largo, y también necesitas apoyo. Lo más importante es entender por lo que estamos pasando, interpretar cómo nos sentimos y trabajar poco a poco hacia la aceptación y comprensión. Los padres también se encierran en su propio armario.

Shock, tristeza, miedo, vergüenza, culpabilidad... Son solo algunos de los sentimientos que pueden aflorar cuando recibimos la noticia. La forma perfecta de reaccionar no existe. No podemos controlar cómo nos sentimos, pero sí cómo actuamos al respecto. Nadie espera que asimiles la noticia al momento. Es normal que te sientas desconcertadx. Ante todo, paciencia. Ten en cuenta que llegar a este punto ha requerido mucho esfuerzo, confianza y, sobre todo, nervios. Aunque la procesión vaya por dentro, intenta transmitir calma, comprensión y mucho cariño.

Por tu parte, está bien que pidas tiempo. No sería justo que acto seguido tras recibir la noticia y sin tener tiempo para digerirlo se te exija comprensión inmediata. Asegúrate de no crear muros, distanciarte o aislarte. Lo ideal sería mantener conversaciones fluidas y sin tapujos sobre el tema.

No te quedes con interrogantes, y aquello que no quieras o no te atrevas a esclarecer, despéjalo buscando información.

Encárgate de destruir uno a uno todos los miedos y prejuicios que puedas tener. No te lo guardes. Busca apoyarte en alguien de confianza.

Ahora bien, tomarte tu tiempo también tiene sus riesgos. No te pases. Que sea un tiempo prudente, pero no lo abandones. Lo digo porque una de las reacciones más comunes es la negación. Fruto del *shock*, algunos padres se empeñan en dar la espalda a la realidad.

A pesar de que se lo hayan dejado muy claro, a menudo la reacción pasa por fingir que nada ha ocurrido. Créeme, ignorar algo no hace que desaparezca. Además, ten en cuenta que contarlo ha supuesto un gran esfuerzo y muchos nervios, por lo que sentirse ignoradx puede causar mucho daño. Es una reacción entendible, pero no está bien. Si te ha ocurrido, no te tortures. Lo importante es darse cuenta de ello y trabajar conscientemente para lograr cambiarlo y avanzar.

Sentirse culpable también es algo muy común. Por supuesto, que ni tú ni nadie tiene que ver con la orientación sexual de tus hijxs. Al recibir la noticia, algunos padres se torturan intentando reconstruir una y otra vez en su cabeza situaciones donde podrían haberse dado cuenta. Tal vez momentos en los que ya intentaron sincerarse en el pasado. O incluso bromas o comentarios homófobos que se soltaron en familia.

No tiene sentido torturarse pensando lo mal que debía haberse sentido nuestrx hijx mientras nosotros hacíamos bromas fuera de lugar, pero disculparse y hacer lo posible para no repetirlo sería la mejor opción. Educar a alguien siendo demasiado estrictxs o demasiado protectorxs no tiene que ver con el desarrollo de la identidad sexual. Además, la culpa solo se siente por algo negativo y no hay absolutamente nada de malo en ser LGBTQ+.

Por eso mismo, tómatelo en serio. Lo peor que puedes hacer cuando alguien se sincera contigo es no darle importancia. Pensar que es solo una etapa es restarle valor a lo que te acaban de contar. Seguir deseando, en secreto, que llegue el momento que encuentren al chico o chica «adecuadx» que les haga cambiar de idea no está bien (ni va a pasar). Es una parte muy importante

Los padres también se encierran en su propio armario.

de la vida de tu hijx y no una moda pasajera que vaya a desaparecer.

Si te entristece pensar que es posible que no vayas a tener nietos, déjame decirte que esto es algo que no tiene nada que ver con la orientación sexual de tu hijx. Del mismo modo que ocurre con los heterosexuales, hay personas que quieren tener hijos y hay otras que no.

Es completamente normal que las parejas homosexuales creen familias y si lo desean tengan hijos.

Pensar que tu hijx no va a poder formar una familia es querer preocuparse por algo que no tiene sentido.

Hablando de familia, hay un punto muy importante. Que tú te enteres es solo el primer paso. A partir de aquí y una vez lo hayas asimilado toca compartirlo con los demás. Es más común de lo que creemos el pensar que dar esta noticia, por ejemplo, a las personas mayores pueda tener un efecto devastador. Por muy mal que lo pueda encajar alguien, te aseguro que de momento nadie ha muerto. En lugar de sugerir que mantengan el secreto, es mucho mejor que seamos nosotros los que nos encarguemos de que todo salga bien. Cuando nos sintamos listxs, lo mejor será que empecemos a preparar a la persona que vaya a recibir la noticia. Además, vuelvo a insistir en que no le estamos dando ninguna mala noticia. No estamos hablando de una enfermedad, de un disgusto ni nada de lo que avergonzarse. Se trata de que alguien a quien queréis ha logrado encontrar su camino y que después de mucho tiempo pasándolo mal por fin es feliz. Estar al lado de tu hijx, preparar el terreno y apoyarle en toda esta situación significa que estás haciendo lo correcto. No siempre son los padres los que quieren evitar que más personas se enteren. A veces incluso nosotrxs mismxs por miedo al rechazo o quizás

No te quedes con interrogantes, y aquello que no quieras o no te atrevas a esclarecer, despéjalo buscando información.

por el temor a crear una crisis familiar somos lxs que nos empeñamos en seguir escondidxs. En este caso, mi sugerencia sería que a su debido tiempo ayudéis a que se sienta cómodx para poder presentarse tal y como es delante de toda la familia.

De nada sirve que los padres lo sepan y que en la comida de Navidad sigan las indirectas y las preguntas incómodas que tanto logran atormentarnos. ¿Qué tal con las chicas? ¿Ya tienes novio? ¿Cuándo te casaremos?

Llevar una vida transparente es llevar una vida feliz y esto es lo mejor que podemos desear a aquellos a los que queremos.

Te quiero contar algo de lo que no estoy particularmente orgulloso. De hecho, creo que es de las pocas cosas en mi vida que si pudiera dar marcha atrás cambiaría. A pesar de ser activista y que prácticamente la totalidad de mis negocios vayan enfocados a la comunidad LGBTQ+, mi proceso hasta hace muy poco seguía a medias. Soy muy cercano con mi familia y especialmente con mis abuelos. Mis abuelos por parte de madre murieron sin que tuviera el valor de sentarme a explicarles quién era realmente. Toda una vida tan cerca de ellos y terminé por sentirme un extraño. Acabé evitando pasar más tiempo con ellos porque no podía soportar seguir con medias verdades y respuestas evasivas a alguien a quien quería tanto. Sé que los rumores les llegaron, pero estaba tan aterrorizado por la posible reacción que pudieran tener que no logré dar el paso. Me arrepiento. Y hoy estoy convencido de que no les hubiera importado.

Con mis abuelos por parte de padre aún tengo una oportunidad. Mi abuela, muy moderna y siempre un paso por delante a su época, lo supo enseguida. Mi pa-

Es completamente normal que las parejas homosexuales creen familias y si lo desean tengan hijos.

dre se lo confirmó. Por otro lado, está mi abuelo. Siempre he vivido con el miedo de que se lo tomara mal. Cuando aún salía con chicas, le contaba mis batallitas y él me trataba como a un héroe.

Me llamaba (y aún me llama) Napoleón. Mi padre e incluso mi abuela me recomendaron que tal vez era mejor no contárselo. Mi abuela, cómplice incondicional, me guiñaba el ojo cada vez que él me preguntaba qué tal con las chicas.

El remordimiento por haberme distanciado de mis abuelos por no haber tenido el valor de sincerarme ronda mi cabeza sin parar.

Dado que llevo tantos años viviendo en el extranjero, y prácticamente viendo a mi familia de Navidad en Navidad, pensé que tal vez no era necesario dar explicaciones.

Todo cambió el día que salió una entrevista sobre mi carrera en un periódico local. Estaba muerto de miedo porque existían muchas posibilidades de que algún ejemplar cayera en manos de mi abuelo. Y así fue. Mi abuela me contó que, sin mediar palabra, él cogió unas tijeras y fue directo al periódico. Creía que en un arrebato iba a hacer trizas el artículo. Nada más lejos de la realidad. Mi abuelo recortó el artículo y, orgulloso, se dirigió a su cuarto para guardarlo. Hoy lo tiene pegado en la puerta de su armario donde todos los días, cuando se va a vestir, lo puede ver.

Por supuesto, recibí esta noticia con un mar de lágrimas. Me sentí emocionado, aliviado pero a la vez muy culpable por no haber confiado en que el amor de mis abuelos superaría cualquier cosa. Aún hoy, mientras escribo estas líneas se me saltan las lágrimas. Tengo esta asignatura pendiente. Sentarme delante de mis

Llevar una vida transparente es llevar una vida feliz y esto es lo mejor que podemos desear a aquellos a los que queremos.

abuelos y, por fin, dejar de ser un desconocido. No veo el momento de poder abrazarlos y recuperar el tiempo perdido.

Si me permites darte un consejo, no intentes evitar que tu hijx se lo cuente a nadie. Los secretos, la desconfianza y la falta de comunicación van creando una distancia y una barrera que es difícil de salvar. Los abuelos son una parte muy importante de nuestras vidas y alejarnos de ellos por miedo al rechazo es algo de lo que seguro nos vamos a arrepentir.

No pienses en el qué dirán. Lo único que debe importarte es la felicidad de tu hijx. No le pidas que lo lleve discretamente. Tenemos el mismo derecho que los heterosexuales a ir de la mano por la calle con la persona que queremos. No sería justo pedir cualquier otra cosa. Vivir en secreto no es vivir. No se trata de lo que hace cada uno en su privacidad. Estamos hablando del día a día. Piensa, por ejemplo, en tener que esconder algo tan importante como a la persona a la que quieres. ¿Te lo puedes imaginar? Si tienes pareja, piensa en esto. ¿Estás comprometidx? Quítate el anillo para evitar preguntas incómodas. ¿Fotos de tu pareja en el despacho? Ni hablar. ¿Explicar lo bien que te lo pasaste con tu pareja el fin de semana? No, tampoco. Tendrás que decir que estuviste con amigos. Prepárate para mentir y para hacerlo continuamente, porque así es como estamos obligadxs a vivir hasta que por fin damos el paso.

Salir del armario no es un capricho, es una necesidad y algo clave para la felicidad y la salud mental de cualquier persona.

Entonces, cuando llega el momento, ¿qué decir y qué no?

Salir del armario no es un capricho, es una necesidad y algo clave para la felicidad y la salud mental de cualquier persona.

A pesar de lo que puedas pensar, te adelanto que decir algo del estilo «No te preocupes, te queremos igual» no está bien. Es muy común, pero un «Te queremos igual» es como decir «a pesar de», lo cual lleva una connotación muy negativa. Diciendo eso lo único que conseguirás es hacer sentir mal a la otra persona. Prueba con un abrazo y un simple «Te quiero». Dale las gracias por contártelo, por confiar en ti. Hazle saber que te sientes orgullosx y que pase lo que pase siempre estarás a su lado. Deja que se desahogue y te cuente lo que te quiera contar. Pregúntale cómo se siente, si hacía mucho tiempo que te lo quería contar o si ya se lo ha explicado a alguien más.

Está bien que le reconozcas que aún desconoces mucho del tema, pero reafirma que estás dispuestx a aprender y que estáis juntos en este proceso. Ten presente que el hecho de que ya no haya secretos entre vosotros va a uniros. Piensa en lo mal que lo ha debido pasar todo este tiempo y lo solx que se ha podido sentir...

Aunque te sientas incómodx y no sepas qué decir, no cambies tu forma de tratarle. Pasad tiempo juntos, llámale a menudo. Haz que entienda que nada ha cambiado y que estás trabajando para comprenderlo mejor.

Si en el momento no supiste qué decir o te dejaste llevar por la decepción o el enfado, es posible que dijeras cosas que realmente no pienses. No dejes que eso cree muros cuando tu hijx más te necesita. Espera a que las cosas se hayan calmado, recapacita y discúlpate. No será un camino fácil, pero ese será el primer paso a seguir. No te pido que de la noche a la mañana te conviertas en activista y salgas a la calle a desfilar en el Día del Orgullo. Ojalá con el tiempo sí lo hagas.

Pero, poco a poco, empieza a interesarte por su mundo. Pídele conocer a su grupo de amigxs. Deja que te cuente a dónde va cuando se divierte, pero sin adoptar una postura de policía. Y muéstrale que estás dispuestx a protegerlx a él/ella y a su comunidad. Que entienda que tú tampoco vas a dar ni un paso atrás ante la discriminación, la homofobia y el odio. De esta manera, protegiendo a la comunidad LGBTQ+ estás protegiendo a tu hijx y a los suyos; y te aseguro que esto es algo que le va a llenar de orgullo.

Los tiempos han cambiado. Hoy es fácil encontrar personas LGBTQ+ exitosas en el ámbito profesional, con familias unidas y felices. Porque, al final, ¿no es eso lo que queremos? Como hijxs, buscamos siempre que los padres estén orgullosos de nosotrxs.

La primera vez que escuché a mi madre en una cena defendiendo al colectivo LGBTQ+ sentí algo que no puedo expresar.

Contar con el apoyo de la familia puede significar todo. Teniendo esto muy presente, puedes trabajar para convertirte en un pilar sobre el que tu hijx puede apoyarse para crecer y seguir construyendo su camino, ahora sí, sin mentiras y con total libertad.

«No nec
parte de la
LGBTQ+ p
sus de

sitas ser
comunidad
ra defender
echos.»

Homofo

CAPÍTULO 9

ia

Homofobia

Sin duda, el principal enemigo para la comunidad LGBTQ+ es la homofobia. Probablemente, sea una de las palabras que más he mencionado a lo largo del libro y tristemente juega un papel tan importante que debemos dedicarle un capítulo para entenderla mejor.

Se conoce por homofobia el odio irracional hacia la homosexualidad o las personas homosexuales. Dicho así parece algo tan horrible que solo alguien sin corazón podría defender. Pero no es así. La homofobia está muy presente en nuestras vidas y extremadamente arraigada a nuestra sociedad.

A pesar de que nuestra visibilidad aumenta año tras año, la heteronormatividad predomina de una manera aplastante. En las escuelas son pocxs lxs profesorxs que expliquen desde niños la existencia de distintas orientaciones sexuales o las diversas formas de familia. Lxs niñxs por naturaleza solo ven amor. Son los adultos y la sociedad quienes les enseñan a odiar.

Una de sus peores formas de manifestación es la que ocurre contra nosotrxs mismxs. Es probablemente el motivo por el que tardamos tanto en salir del armario y por el que sufrimos tanto durante el proceso. Estamos educadxs en la homofobia. Crecemos creyendo que ser heterosexual es lo correcto y no serlo está mal. Algunas religiones predican que es una enfermedad y algo de lo que deberíamos avergonzarnos. Nos bombardean con estereotipos donde el hombre debe ser masculino y fuerte, y la mujer femenina y débil.

La homofobia es venenosa, nos intoxica y hace mucho daño. Nos hace sentir inferiores. Nos crea la necesidad de tener que demostrar más (en todo) para compensar.

La homofobia consigue que terminemos por odiarnos a nosotros mismos.

Lo viví en primera persona. Durante años, la simple idea de considerar que podía ser gay me causaba un profundo rechazo.

La homofobia internalizada me comía por dentro. Era increíblemente infeliz.

Tenía ataques de ira sin entender por qué. Me dormía todas las noches deseando con todas mis fuerzas despertar «normal». Utilizaba la homofobia como escudo ante los demás y ante mí mismo. Recuerdo comentarios horribles saliendo de mi boca sobre los homosexuales. Qué triste vivir odiando lo que eres. El daño que nosotrxs mismxs nos podemos causar por culpa de la homofobia es infinito. El odio acaba por destruir a las personas.

La autoestima es sustituida por el autorrechazo de una manera tan intensa que es necesario un proceso de transformación y aceptación que puede durar años. Durante ese periodo, tristemente sufrimos mucho y, a pesar del esfuerzo, es difícil erradicar por completo estos sentimientos. A menudo acaban quedando restos que afloran en forma de actitudes. Extrapolamos nuestros miedos y prejuicios criticando a nuestra propia comunidad. ¿Cuántas veces has escuchado comentarios negativos sobre los gais afeminados, las lesbianas masculinas, besar a tu pareja en público, pasear por la calle de la mano o salir por discotecas de ambiente? ¿O críticas sobre el Orgullo y cómo supuestamente da una mala imagen sobre la comunidad?

Como si no tuviéramos bastante con la discriminación que sufrimos por parte de la sociedad, la homofobia internalizada se encarga de aumentar la existencia de comportamientos inaceptables, también entre nosotrxs. A veces, puede que lo hagamos incluso sin darnos cuenta. Pero te invito a que hagas un ejercicio consciente y que intentemos ser más amables entre nosotrxs.

Las siglas LGBTQ+ incluyen a un universo de personas muy diverso. Puede que seamos muy distintxs, pero nos une un sentimiento de pertenencia y algo muy importante: la necesidad de luchar y defendernos de las personas intolerantes.

Tras muchos años de esfuerzo hemos conseguido la creación de leyes LGBTQ+ que nos protegen de los ataques de las personas ignorantes. Lxs homófobxs acechan y trabajan incansablemente para despojarnos de nuestros derechos. Creen fervientemente que no merecemos tener las mismas oportunidades que ellxs. Que somos inferiores a ellxs.

Las siglas LGBTQ+ incluyen a un universo de personas muy diverso. Aunque seamos muy distintxs, nos une un sentimiento de pertenencia y la necesidad de luchar y defendernos de las personas intolerantes.

Pese a que hemos conseguido grandes avances en la lucha contra la homofobia, queda mucho trabajo por hacer.

No podemos dormirnos. Si vives en un entorno donde ser tú mismx no supone un riesgo para tu integridad, eres afortunadx. Debemos estar alerta y preparadxs para protegernos unxs a otrxs. Hay muchos países en los que la igualdad de derechos no existe. En otros, la homosexualidad se persigue y se castiga con penas de cárcel o hasta de muerte.

Estos derechos se han conseguido gracias al esfuerzo y sacrificio de muchas personas LGBTQ+ a lo largo de la historia. Estudiando en el colegio, no aprendí nada sobre ellxs, ni tampoco sobre los movimientos activistas de la comunidad LGBTQ+ que nos han permitido llegar donde estamos hoy. Celebramos el Orgullo para conmemorar la primera que vez que nuestra comunidad tomó acción contra una redada policial en el Stonewall Inn, la madrugada del 28 de junio de 1969, un bar de ambiente del Village de Nueva York. La primera vez que personas trans, drag queens y femmes alzaron la voz y dijeron «basta de violencia y basta de abusos a personas LGBTQ+», iniciando así el movimiento de la Liberación Gay.

Es importante remarcar que a la cabeza de ese movimiento estaban dos mujeres trans que lucharon de forma incansable desde el inicio: Marsha P. Johnson y Silvia Rivera, heroínas que lucharon por los derechos que tenemos hoy. Es irónico y muy triste que las personas trans sean las más olvidadas y menos privilegiadas en nuestra comunidad, cuando fueron las que encabezaron desde el primer día nuestra batalla. Es hora de darles la visibilidad y el reconocimiento que merecen y debemos trabajar juntxs para que así sea.

Pese a que hemos conseguido grandes avances en la lucha contra la homofobia, queda mucho trabajo por hacer.

Del mismo modo, ¿no sería increíble crecer sabiendo que existen infinidad de personajes importantes en la historia que eran parte de la comunidad? Muchos son obviados, otros directamente no son ni estudiados. Alan Turing, el padre de la informática, el activista Harvey Milk o Sally Ride, una de las primeras mujeres en viajar al espacio. Ejemplos de personas LGBTQ+ exitosas que deberían ser admiradas por los jóvenes para entender que ser parte de la comunidad te hace igual o más capaz que cualquier otra persona.

Tener ejemplos positivos y modelos a seguir tiene un gran impacto en el desarrollo de las personas LGBTQ+.

Que un/a niñx pueda crecer admirando a alguien de la comunidad como referente es algo muy poderoso y que transmite un mensaje muy potente. Pero durante años personas conocidas y con fama han tenido que ocultar su orientación sexual, teniendo que mantener su vida privada y con el constante riesgo de ser descubiertas. Personas en el mundo del cine, en la industria musical, en el mundo de la política o el de los deportes. Todxs ellxs forzadxs a vivir una mentira, con matrimonios encubiertos para guardar las apariencias. Eso explica que hoy exista una gran falta de modelos a seguir abiertamente LGBTQ+, ya que en según qué sectores estar fuera del armario no se plantea ni siquiera como una posibilidad. Me encantaría ver futbolistas fuera del armario, con sus maridos e hijxs.

Pero el deporte es precisamente un nido de discriminación. Los insultos homófobos son demasiado comunes y se asocian negativamente a la debilidad. ¿Cómo debe sentirse cualquier joven deportista LGBTQ+ viendo que no hay ejemplos a seguir y que las referencias a la homosexualidad se utilizan como una ofen-

Tener ejemplos positivos y modelos a seguir tiene un gran impacto en el desarrollo de las personas LGBTQ+.

sa? Seguramente, muchos niños podrían tener ídolos gais y entenderían que eso no significa absolutamente nada malo. Cada vez que alguien sale del armario, el impacto es increíblemente positivo y da esperanza a que otros sigan los mismos pasos.

En los medios, las personas LGBTQ+ han sido invisibles durante años, y cuando aparecían lo era de forma estigmatizada y ridiculizada.

La homofobia está presente en películas, series, documentales que en su gran mayoría siempre retratan las historias desde un punto de vista heteronormativo. El auge y la popularidad de series y películas de temática LGBTQ+ es algo imparable. Acercar al público general nuestras historias supone un avance increíble en la sociedad, que por fin parece abrir mentes y ablandar corazones.

Mientras crecías, probablemente, habrás tenido que soportar bromas e insultos de todo tipo. Piensa cuántas palabras existen para insultar a alguien de la comunidad LGBTQ+. Hay infinidad de palabras ofensivas que, además, se usan a diario. Comentario tras comentario, vamos forjando una coraza de la que es difícil desprenderse. Además, la homosexualidad se relaciona erróneamente con la debilidad. Pero la realidad es que lejos de rompernos, estas experiencias nos hacen más fuertes y nos preparan para la vida.

Los retos a los que las personas transgénero y no-binarias se enfrentan en una sociedad estrictamente binaria son realmente duros. La fortaleza y valentía de este colectivo por atreverse a ser ellxs mismxs les convierte en las personas menos débiles del sistema.

Lxs homófobxs se sienten valientes, con la capacidad de opinar sobre la vida de lxs demás, creyendo

Cada vez que alguien sale del armario, el impacto es increíblemente positivo y da esperanza a que otros sigan los mismos pasos.

que su modo de ver las cosas es el único correcto. Aislamiento, rumores, golpes o insultos tanto en persona como *online* son formas que lxs homófobxs utilizan para hacer daño.

Si estás siendo objetivo de algún tipo de discriminación en tu escuela, no te lo guardes. Por mucha vergüenza o miedo que tengas, debes armarte de valor y buscar ayuda para denunciarlo. Sufrir en silencio solo te hará más daño y puede acabar por destruirte. Si estás pasando por un mal momento, no te desesperes. Ten en cuenta que solo es temporal y que pasará. Busca apoyarte en alguien en quien confíes, da el paso, haz lo posible por ser fuerte y ten paciencia porque te aseguro que todo mejorará.

Si por el contrario presencias algún acto de discriminación, asegúrate de dar apoyo e insiste en denunciar. No podemos ser cómplices y silenciar un comportamiento que es tan peligroso para nuestra comunidad. Hay pocas cosas que me enfaden tanto como presenciar actos de discriminación. Después de un evento genial en un país de Latinoamérica, lxs conferencistas decidimos salir a cenar y a tomar algo. Todo iba genial hasta que llegamos a la puerta de la discoteca. Nos dijeron que no podíamos entrar porque en nuestro grupo había dos chicas trans. ¡¿Perdona?! «Política de empresa», dijeron. Fue la primera vez que viví tan de cerca un acto tan indignante de discriminación. ¿Es política de empresa no dejar entrar, por sistema, a las personas transgénero? Aún me hierve la sangre solo de acordarme.

Por suerte, esto está cambiando. Cada vez son más los países que se suman a las iniciativas LGBTQ+. Las leyes de igualdad son indispensables para protegernos de la homofobia y la discriminación, y es el motivo por el que tanto luchamos. ¿Las leyes cambian la sociedad? Tal vez no, pero sientan las bases para construir. En Latinoamérica, muchos países, a pesar de tener ya leyes LGBTQ+, aún presentan grandes índices de homofobia.

El proceso es largo, pero la única forma de luchar y cambiar mentes es a través de la educación.

La mayoría de las personas homófobas teme aquello que no conoce. No han conocido jamás a alguien de la comunidad en primera persona.

Cuando nos conocen, cambian la percepción negativa y el prejuicio que puedan tener sobre la comunidad.

En el mundo laboral la homofobia también está muy presente y debemos estar preparados para afrontarla. En algunos países, para alguien LGBTQ+ encontrar trabajo puede ser extremadamente difícil. Y para las personas trans es prácticamente imposible. He escuchado historias de casos en los que los empresarios se escudan detrás de argumentos tan estúpidos como «es un trabajo de cara el público» o «se te nota mucho». Debemos conocer nuestros derechos para poder defendernos ante cualquier caso de discriminación. A lxs homófobxs lo que es diferente les molesta, cuando en realidad debería ser valorado como algo positivo. El criterio para contratar a una persona tendría que basarse únicamente en la capacidad para desempeñar el empleo; y bajo ningún concepto la sexualidad o el género deberían ser un limitante. Las mujeres y las personas de color sufren aún más discriminación.

Despedir a una persona por ser LGBTQ+ tristemente es muy común. En demasiados países es aún legal. Muchas personas evitan salir del armario por miedo a ser despedidxs o porque corren el riesgo de quedarse estancadxs en sus carreras.

Nos vemos forzadxs a estudiar y trabajar más para llegar a los mismos puestos y salarios que las demás personas. Algo por lo que nadie debería tener que pasar, pero que desgraciadamente todavía es una realidad a la que nos debemos enfrentar. Por si los motivos éticos y morales no fueran suficiente razón, la gente debería saber que discriminar no es negocio. Discriminar tiene un coste muy elevado.

En Estados Unidos, los empresarios LGBTQ+ de estados conservadores deciden llevar sus empresas a aquellos estados donde las políticas de diversidad e inclusión están a la orden del día. Eso se traduce en una disminución de la riqueza y en puestos de trabajo perdidos por culpa de la homofobia y la discriminación, en aquellos estados de los que estas empresas se han visto obligadas a «huir».

Por supuesto, trabajar con miedo e inseguridad afecta la productividad de los trabajadores.

La científica y emprendedora Vivienne Ming ha conseguido poner cifras al coste[7] de no ser heteronormativos. Se refiere a cuánto más tenemos que trabajar las personas LGBTQ+ y las mujeres para acceder a los mismos puestos de trabajo o sueldos que un hombre

---

7. Anderson, J. (7 de marzo de 2016). A scientist calculated the cost of not being a straight man, and she wants a tax cut. Quartz.

El proceso es largo, pero la única forma de luchar y cambiar mentes es a través de la educación.

heterosexual cisgénero. Nos sentimos obligadxs a demostrar nuestra valía. Es un sentimiento muy injusto que nace del arraigo que la propia homofobia tiene en nuestras mentes.

La realidad es que entiendo perfectamente de lo que habla y es algo con lo que me siento muy identificado.

Durante años la homofobia interiorizada me hizo sentir que debía compensar a mis padres y compensarlos por el hecho de ser gay.

Me sentía inferior. Sentía que tenía que trabajar más, conseguir llegar a lo más alto para minimizar el daño por ser gay. Qué triste pensar que durante tanto tiempo ha sido justamente la homofobia el combustible que me ha hecho llegar más lejos. Sentía que debía compensar la decepción que creía les había causado y trabajaba sin descanso para que se sintieran orgullosos de mí. Quería conseguir que mis éxitos sonaran más fuertes que los rumores.

Echando la vista atrás, y tras hablarlo con mis padres, me doy cuenta de que todo esto estaba solo en mi cabeza. Mis padres siempre se han sentido orgullosos de mí. Pero el daño que puede causar la homofobia llega a distorsionar tu realidad. Por suerte, las cosas han cambiado. Estoy muy feliz de ser quien soy. Ya no siento que debo compensar a nadie por nada. Tal vez aún busque la aprobación de mis padres, pero me siento cómodo en mi piel. Y tengo muy muy claro el poder que tenemos si nos unimos.

Debemos ser conscientes también del poder económico que tenemos. El mundo ya lo es. Somos capaces de utilizarlo como herramienta para hacernos valer y estar atentxs para saber cuáles son las empresas que nos apoyan de verdad y a cuáles solo les interesa nuestro

Durante años la homofobia interiorizada me hizo sentir que debía compensar a mis padres y compensarlos por el hecho de ser gay.

dinero. Muchas empresas aprovechan para publicitarse únicamente durante el mes del Orgullo y se olvidan de nosotrxs el resto del año. Hay que estar pendiente. De hecho, la organización Human Rights Campaign publica todos los años una guía en la que los consumidores podemos ver claramente cuáles son las empresas que sí apoyan a la comunidad LGBTQ+.

El poder de nuestra comunidad es alto, claro y se hace escuchar. En una ocasión, un directivo de una empresa multinacional de alimentación hizo unas declaraciones homófobas y nos pusimos manos a la obra. Se activó un boicot mundial contra la marca. A pesar de que se apresuraron en pedir disculpas, no nos dejamos convencer tan fácilmente. No podíamos (ni podemos) permitir ningún ataque contra la diversidad. Y funcionó.

La empresa trabajó de la mano de organizaciones LGBTQ+ internacionales para reajustar sus políticas de diversidad e inclusión. Ahora, trabajan activamente para apoyar la comunidad LGBTQ+ y combatir la homofobia, hasta el punto de que ha conseguido un cien por cien de puntuación en el índice de igualdad de Human Rights Campaign. No tenemos muy claro qué fue exactamente lo que le motivó a hacerlo, pero lo importante es que ha pasado. Cuando nos unimos, somos capaces de hacer comprender a las empresas, pequeñas o grandes, que están equivocadas, educarlas y ayudarlas a aprender de sus errores. Si nos mantenemos firmes ante la discriminación, podemos lograr que finalmente nadie deba sentirse discriminadx por ser diferente.

No buscamos que nos toleren. Buscamos aceptación e igualdad. Adopta una postura clara contra el odio, y exige igualdad. Es lo justo. El arma más poderosa reside

El poder de nuestra comunidad es alto, claro y se hace escuchar.

en nosotrxs. Mostrándonos felices, segurxs de nosotxos mismxs, abrimos camino a lxs demás. La educación y el tiempo, con nuestro esfuerzo, hará el resto. Las buenas noticias son que las cosas están cambiando.

Sin ir más lejos, el movimiento Drag Queen, de la mano de RuPaul ha pasado de ser algo *underground* a algo *mainstream*. Las drags se han convertido en superestrellas y hoy ya hay niñxs que crecen admirando a ídolos que celebran la feminidad, el baile y el maquillaje.

Es importante entender que la sociedad ya camina hacia la aceptación y la diversidad. Si seguimos empujando, pronto llegará el día en el que hablar de discriminación e igualdad de derechos será cosa del pasado. Pronto.

«Love

Wins.»

Descubr
mundo

endo el

ueer

Descubriendo el mundo *queer*

Llegar hasta aquí no ha sido fácil; el proceso ha sido duro. Muchas han sido las veces en las que no tenía claro el querer seguir. Pero cuando por fin empecé a sentirme bien y logré quitarme la venda de los ojos, se abrió un mundo ante mí listo para ser descubierto. Escribir este libro me ha despertado muchos recuerdos y, sin lugar a duda, me ha hecho reflexionar muchísimo. No soy la misma persona que era. Evolucionamos de una manera increíble y todas las etapas tienen su encanto. ¿Tienes prisa? No la tengas. Tómate las cosas con calma, sé curiosx pero precavidx y prepárate para vivir.

Aprender a aceptarnos y querernos tal y como somos conlleva tiempo y esfuerzo. Cuánto dependerá de cada unx de nosotrxs. De la educación que hayamos recibido y de los referentes con los que hayamos crecido.

No importa en qué parte del proceso estés. Tal vez has leído estas páginas estando aún confundidx. Tal vez estás planteándote salir del armario. O acabas de hacerlo. A lo mejor hace años que saliste. No importa.

Entender en qué punto del camino nos encontramos, nos sirve para tomar el control.

Entender en qué punto del camino nos encontramos, nos sirve para tomar el control.

Es importante hacer balance y pensar: ¿estoy a gusto conmigo mismx?

Hay algo que siempre me ha encantado preguntar a mis amigxs. Es un ejercicio que solía hacer a lo largo de los años, pero que no siempre recibía la misma respuesta: si existiera una píldora que cambiara tu orientación sexual, ¿te la tomarías? Durante muchos años, me la hubiera tragado sin pensarlo dos veces. Deseaba con todas mis fuerzas cambiar. Ser «normal». Qué equivocado estaba y qué claro lo veo ahora. ¿Que la vida sería mucho más fácil siendo heterosexual? Seguramente. Pero aquellos que no siguen los caminos los abren. Y las cosas más increíbles pasan siempre fuera de nuestra zona de confort.

Piensa si hoy decidirías tomártela. Queda mucho camino por recorrer, pero te aseguro que no hay nada como sentirse libre. Poder vivir sin mentiras, crear tus propias reglas. Formar parte de una comunidad con una cultura e identidad propias. Nos ha tocado vivir en una época donde tenemos la oportunidad de hacer un gran cambio. Hace algunos años ser LGBTQ+ públicamente era prácticamente imposible. Dentro de poco ser LGBTQ+ probablemente será un detalle sin importancia. Lo será si seguimos trabajando juntos.

Hoy gozamos de libertades que fueron ganadas por la lucha de personas muy valientes.

Personas que no querían conformarse con ser tratadas como ciudadanxs de segunda. Ya hemos llegado muy lejos, sigamos adelante. No nos ablandemos. Se lo debemos a los que nos allanaron el camino y a los que vendrán.

Hoy gozamos de libertades que fueron ganadas por la lucha de personas muy valientes.

Los eventos de celebración del Orgullo son unos de mis favoritos. Recuerdo perfectamente cómo me sentí la primera vez que participé en un desfile LGBTQ+. Y es que no puedo evitar emocionarme viendo a personas celebrando sus diferencias y reivindicando la importancia de luchar por nuestros derechos. Me encanta ver a la multitud y sentir que, aunque no los conozca son mi familia. Si tienes oportunidad de participar en algún Orgullo, sin duda, te aconsejo que lo hagas. En muchos países, las fiestas son una gran parte de la celebración, pero debemos recordar que lo realmente importante es aquello por lo que tanto hemos y seguimos luchando.

He tenido el privilegio de poder participar en desfiles del Orgullo en todo el mundo. Por supuesto, es impresionante ver millones de personas desfilando en las grandes ciudades. Pero, sin lugar a duda, donde más nos necesitan es en aquellos lugares donde aún queda demasiado por hacer. Recuerdo el desfile del Orgullo de Medellín en Colombia, donde entendí el verdadero significado de las manifestaciones. Ver a personas de nuestra comunidad desfilando sin ni siquiera zapatos o con golpes y heridas de la noche anterior, pero aun así alegres y celebrando, me rompió el corazón. No podía dejar de pensar que una vez terminara el desfile, volverían a una realidad marcada por la discriminación, el miedo y la violencia.

Muchxs me preguntan cómo ser activistas. La respuesta es: siendo feliz. Si puedes, sé visible y combate estereotipos. A menudo y sin darnos cuenta, nosotrxs mismxs nos dejamos llevar por las construcciones sociales.

Haz lo posible por ayudar a educar y a derrumbar prejuicios, desafía a la masculinidad tóxica y no toleres que nadie la exprese a tu alrededor.

Haz lo posible por ayudar a educar y a derrumbar prejuicios, desafía a la masculinidad tóxica y no toleres que nadie la exprese a tu alrededor.

Intenta generar debate, siempre que sea sano y tu interlocutor/a sea capaz de mantener una conversación coherente. Si no es así, escoge tus batallas. Guarda tu energía para las ocasiones donde sí valga la pena. Si eres creativx, utiliza el arte para reivindicar nuestros derechos. El activismo es una herramienta muy efectiva para llegar de una manera muy especial a las personas. Desde tu colegio o tu puesto de trabajo también puedes cambiar las cosas. Defiende a tus compañerxs LGBTQ+. Haz lo posible por rodearte de un equipo de trabajo diverso.

Intenta viajar. Hazlo todo lo que puedas. Viajar expande tus horizontes y tu forma de ver las cosas. Descubre cómo vive la comunidad LGBTQ+ en otros países. Investiga bien. Sé consciente de cuáles son los países donde es ilegal el matrimonio igualitario; donde los miembros de la comunidad LGBTQ+ corren el peligro de ir a la cárcel o incluso ser condenadxs a muerte por el simple hecho de tener relaciones sexuales. Ten presentes a nuestrxs hermanxs en esos países y sé consciente de que la lucha no terminará hasta que ningunx de nosotrxs corra peligro por el simple hecho de ser quien es.

Tenemos la responsabilidad de luchar contra la homofobia y la discriminación, cada unx desde nuestra trinchera y acorde con nuestras posibilidades. No te pido que ondees la bandera a todas horas ni que salgas a la calle con pancartas. Si quieres y puedes hacerlo, genial.

Hay muchas formas de hacer activismo, incluso en los pequeños detalles del día a día.

El buen uso de las redes sociales tiene un valor muy importante. Nos conecta con los nuestros. Nos

Hay muchas formas de hacer activismo, incluso en los pequeños detalles del día a día.

puede ayudar a entender por lo que están pasando otras personas, a levantar la voz cuando vulneran nuestros derechos, a seguir de cerca los logros de las personas a las que queremos. Pero, sobre todo, nos permiten estar cerca de una comunidad a la que consideramos nuestra familia. Presta atención a lo que pasa en el mundo. Hay tantas personas de nuestra comunidad pasando por un mal momento...

Me llegan muchos mensajes de amor y apoyo, pero también de casos de discriminación, aislamiento o abuso. Y aunque me parte el corazón, procuro leerlos todos.

Lo hago inconscientemente en situaciones donde tal vez no debería. Y digo no debería porque me impactan demasiado. Puede ser camino a una conferencia importante, en una reunión de amigxs, de fiesta... y muchas veces me entristecen o me alegran. ¿Qué decir cuando alguien está pasando por un mal momento y pide ayuda? A veces simplemente escuchar y estar presente es suficiente. Te animo a pensar de qué manera puedes utilizar tus redes sociales como altavoz. Como una plataforma, por pequeña o grande que sea. Un comentario amable, una conversación, una llamada de ánimo. Tenemos la responsabilidad de cuidarnos unxs a otrxs.

Es increíble como podemos transformar aquello que más odiamos de nosotros mismos en lo que más nos hace brillar.

Si estás pasando por un mal momento, quiero que sepas que cuentas conmigo. No importa la edad que tengas o en qué parte del proceso te encuentres. Nunca es demasiado tarde para buscar tu felicidad. Piensa que las cosas van a mejorar y que pronto tu historia servirá para darle esperanza a otrxs. Todxs tenemos

Es increíble como podemos lograr transformar aquello que más odiamos de nosotros mismos en lo que más nos hace brillar.

nuestras historias. Compartir la mía en estas páginas ha sido un experimento interesante que, además, me ha ayudado a descubrir mucho sobre mí. También me ha servido para darme cuenta de la infinidad de cosas que me (nos) quedan por aprender. Espero que a ti también te haya servido. Hay tantos temas en los que me hubiera gustado profundizar más... Me han llegado testimonios de personas increíbles que me he quedado con ganas de compartir. Historias que me hubiera encantado poder contar. El poder que tienen es increíble y lo mejor es que todxs contamos con él. Usa la tuya y prepárate para inspirar a lxs demás.

Este libro llega a su fin, pero, en realidad, solo representa el principio. Escribirlo me ha despertado aún más las ganas de avanzar. Me ha recordado que cada unx de nosotrxs tenemos la capacidad de construir nuestro camino. Formamos parte de una comunidad increíble en la que nos podemos apoyar y es por eso por lo que somos capaces de cambiar mentes.

Tienes el poder de convertir tu vida en un ejemplo y esperanza para muchxs. De ser la voz de aquellxs que no pueden alzarla. De proteger a aquellxs que nos necesitan. El activismo sigue, es una lucha diaria para los derechos de nuestra comunidad. Sigamos aprendiendo. Sigamos combatiendo.

Ahora que ya lo sabes, estoy convencido de que trabajando juntos conseguiremos que algún día, algún día (no muy lejano), los armarios sirvan solo para guardar la ropa.

«La luch
la libertad J

a de hoy,
e mañana.»

Agradecimientos

Hay muchas personas que han sido clave a la hora de escribir este libro.

A Leticia Sánchez, Claudia Bermejo y Sara Díaz de mi equipo editorial, que han sobrevivido con infinita paciencia a mi autosabotaje, pero han creído en mí desde el primer minuto.

A César Álvarez, Carlos Torres y Mercedes Gómez, que en tiempos de bloqueo han sabido darme las palabras correctas para encontrar la inspiración.

A Álvaro Beamud, Óscar Gaspar, Sidney Phillipe y Adrià Hernández, que han esperado con ganas capítulo tras capítulo.

A Carlos Mendoza, Joss Jaycoff y Manuel Santiago, que se han asegurado de que la comunidad estuviera bien representada.

A Javier Ruiz Romero, David Stuart y Jose Ramos, que me han enseñado la importancia del activismo en el marco de la salud de nuestra comunidad.

A Kevin Pery y al resto del equipo de Queer Holdings, que me han ayudado a hacer este proyecto realidad.

A Juan Julià, por ser mi mentor e inspirarme siempre.

A Jose René, por empujarme a perseguir mis metas.

A Juan Pablo Jaramillo, que siempre está a mi lado, creciendo juntos.

A mi familia, que me ha apoyado incondicionalmente, muchas veces aun sin entender lo que estaba haciendo.

A Héctor Dugarte, que ha estado a mi lado durante todas las noches en vela.

A mis amigxs, que me aguantan soñando despierto, pero siempre están ahí para participar en mi próxima aventura.

Y, sobre todo, a lxs miembros de la comunidad LGBTQ+ que día tras día me inspiran para seguir adelante.